KENJI MIYAZAWA
COLLECTION

宮沢賢治コレクション 6

春と修羅

詩 I

筑摩書房

詩集『春と修羅』初版本、函表面

監修　天沢退二郎
入沢康夫
編集委員　栗原　敦
杉浦　静
編集協力　宮沢家
装画・挿画　千海博美
装丁　アルビレオ
口絵写真　詩集『春と修羅』初版本、函表面（宮沢賢治記念館蔵）

目次

『春と修羅』

春と修羅

真空溶媒

小岩井農場

グランド電柱

オホーツク挽歌

風景とオルゴール

『春と修羅』補遺

短唱

宮沢賢治コレクション6

春と修羅

詩Ⅰ

心象スケッチ

春と修羅

大正十一、二年

序

わたくしといふ現象は
仮定された有機交流電燈《でんとう》の
ひとつの青い照明です
（あらゆる透明《とうめい》な幽霊《ゆうれい》の複合体）
風景やみんなといつしよに
せはしくせはしく明滅《めいめつ》しながら
いかにもたしかにともりつづける
因果《いんが》交流電燈の
ひとつの青い照明です
（ひかりはたもち、その電燈は失はれ）

これらは二十二箇月《かげつ》の
過去とかんずる方角から

紙と鉱質《こうしつ》インクをつらね
（すべてわたくしと明滅《めいめつ》し
　みんなが同時に感ずるもの）
ここまでたもちつづけられた
かげとひかりのひとくさりずつ
そのとおりの心象スケッチです

これらについて人や銀河や修羅《しゅら》や海胆《うに》は
宇宙塵《じん》をたべ、または空気や塩水を呼吸しながら
それぞれ新鮮な本体論もかんがえましょうが
それらも畢竟《ひっきょう》こころのひとつの風物です
ただたしかに記録されたこれらのけしきは
記録されたそのとおりのこのけしきで
それが虚無《きょむ》ならば虚無自身がこのとおりで
ある程度まではみんなに共通いたします
（すべてがわたくしの中のみんなであるように
　みんなのおのおののなかのすべてですから）

けれどもこれら新生代沖積世《ちゆうせきせい》の
巨大に明るい時間の集積のなかで
正しくうつされた筈《はず》のこれらのことばが
わずかその一点にも均《ひと》しい明暗のうちに
　（あるいは修羅の十億年）
すでにはやくもその組立や質を変じ
しかもわたくしも印刷者も
それを変らないとして感ずることは
傾向としてはあり得ます
けだしわれわれがわれわれの感官や
風景や人物をかんずるように
そしてただ共通に感ずるだけであるように
記録や歴史、あるいは地史というものも
それのいろいろの論料《データ》といっしょに
（因果《いんが》の時空的制約のもとに）
われわれがかんじているのに過ぎません
おそらくこれから二千年もたったころは
それ相当のちがった地質学が流用され

相当した証拠《しようこ》もまた次次過去から現出し
みんなは二千年ぐらい前には
青ぞらいっぱいの無色な孔雀《くじやく》が居たとおもい
新進の大学士たちは気圏《きけん》のいちばんの上層
きらびやかな氷窒素《ひようちつそ》のあたりから
すてきな化石を発掘したり
あるいは白堊紀《はくあき》砂岩の層面に
透明《とうめい》な人類の巨大な足跡《あしあと》を
発見するかもしれません

すべてこれらの命題は
心象や時間それ自身の性質として
第四次延長のなかで主張されます

大正十三年一月二十日　　　宮　沢　賢　治

春と修羅

屈折率《くっせつりつ》

七つ森のこっちのひとつが
水の中よりもっと明るく
そしてたいへん巨《おお》きいのに
わたくしはでこぼこ凍《こお》ったみちをふみ
このでこぼこの雪をふみ
向こうの縮れた亜鉛《あえん》の雲へ
陰気な郵便脚夫《ゆうびんきゃくふ》のように
　（またアラッディン、洋燈《ランプ》とり）
急がなければならないのか

くらかけの雪

たよりになるのは
くらかけつづきの雪ばかり
野はらもはやしも
ぽしゃぽしゃしたり黝《くす》んだりして
すこしもあてにならないので
ほんとうにそんな酵母《こうぼ》のふうの
朧《おぼ》ろなふぶきですけれども
ほのかなのぞみを送るのは
くらかけ山の雪ばかり
（ひとつの古風《こふう》な信仰《しんこう》です）

日輪《にちりん》と太市《たいち》

日は今日は小さな天の銀盤《ぎんばん》で
雲がその面《めん》を
どんどん侵してかけている
吹雪《フキ》も光りだしたので
太市は毛布《けっと》の赤いズボンをはいた

丘の眩《げん》惑《わく》

ひとかけずつきれいにひかりながら
そらから雪はしずんでくる
電《でん》しんばしらの影の藍靛《インデイゴ》や
ぎらぎらの丘の照りかえし

あすこの農夫の合羽《かつぱ》のはじが
どこかの風に鋭く截《き》りとられて来たことは
一千八百十年代の
佐野喜《さのき》の木版に相当する

野はらのはてはシベリヤの天末《てんまつ》
土耳古《トルコ》玉製玲瓏《ぎよくせいれいろう》のつぎ目も光り
（お日さまは

そらの遠くで白い火を
どしどしお焚《た》きなさいます)
笹《ささ》の雪が
燃え落ちる、燃え落ちる

カーバイト倉庫

まちなみのなつかしい灯とおもって
いそいでわたくしは雪と蛇紋岩《サーペンタイン》との
山峡《さんきょう》をでてきましたのに
これはカーバイト倉庫の軒《のき》
すきとおってつめたい電燈《でんとう》です
（薄明《はくめい》どきのみぞれにぬれたのだから
　巻烟草《まきたばこ》に一本火をつけるがいい）
これらなつかしさの擦過《さっか》は
寒さからだけ来たのでなく
またさびしいためからだけでもない

コバルト山地《さんち》

コバルト山地の氷霧《ひょうむ》のなかで
あやしい朝の火が燃えています
毛無森《けなしのもり》のきり跡《あと》あたりの見当《けんとう》です
たしかにせいしんてきの白い火が
水より強くどしどしどしどし燃えています

ぬすびと

青じろい骸骨《がいこつ》星座のよあけがた
凍《こご》えた泥の乱反射《らんはんしゃ》をわたり
店さきにひとつ置かれた
提婆《だいば》のかめをぬすんだもの
にわかにもその長く黒い脚《あし》をやめ
二つの耳に二つの手をあて
電線のオルゴールを聴《き》く

恋《こい》と病熱

きょうはぼくのたましいは疾《や》み
烏《からす》さえ正視ができない
　あいつはちょうどいまごろから
つめたい青銅《ブロンズ》の病室で
透明薔薇《とうめいばら》の火に燃される
ほんとうに、けれども妹よ
きょうはぼくもあんまりひどいから
やなぎの花もとらない

春と修羅《しゆら》

(mental sketch modified)

心象のはいいろはがねから
あけびのつるはくもにからまり
のばらのやぶや腐植《ふしよく》の湿地
いちめんのいちめんの諂曲《てんごく》模様
(正午の管楽《かんがく》よりもしげく
琥珀《こはく》のかけらがそそぐとき)
いかりのにがさまた青さ
四月の気層のひかりの底を
唾《つばき》し　はぎしりゆききする
おれはひとりの修羅なのだ
(風景はなみだにゆすれ)
砕《くだ》ける雲の眼路《めじ》をかぎり
　れいろうの天の海には

聖玻璃《せいはり》の風が行き交《か》い
ZYPRESSEN 春のいちれつ
くろぐろと光素《エーテル》を吸い
その暗い脚並《あしなみ》からは
天山の雪の稜《かど》さえひかるのに
（かげろうの波と白い偏光《へんこう》）
まことのことばはうしなわれ
雲はちぎれてそらをとぶ
ああかがやきの四月の底を
はぎしり燃えてゆききする
おれはひとりの修羅《しゅら》なのだ
（玉髄《ぎょくずい》の雲がながれて
どこで啼《な》くその春の鳥）
日輪《にちりん》青くかげろえば
修羅は樹林に交響し
陥《おち》りくらむ天の椀《わん》から
黒い木の群落が延び
その枝はかなしくしげり

すべて二重の風景を
喪神《そうしん》の森の梢《こずえ》から
ひらめいてとびたつからす
（気層いよいよすみわたり
ひのきもしんと天に立つころ）
草地の黄金《きん》をすぎてくるもの
ことなくひとのかたちのもの
けらをまといおれを見るその農夫
ほんとうにおれが見えるのか
まばゆい気圏《きけん》の海のそこに
（かなしみは青々ふかく）
ZYPRESSEN しずかにゆすれ
鳥はまた青ぞらを截《き》る
（まことのことばはここになく
修羅のなみだはつちにふる）

あたらしくそらに息つけば
ほの白く肺はちぢまり

（このからだそらのみじんにちらばれ）
いちょうのこずえまたひかり
ZYPRESSEN いよいよ黒く
雲の火ばなは降りそそぐ

春光呪詛《じゆそ》

いったいそいつはなんのざまだ
どういうことかわかっているか
髪《かみ》がくろくてながく
しんとくちをつぐむ
ただそれっきりのことだ
　春は草穂《くさぼ》に呆《ぼう》け
　　うつくしさは消えるぞ
　（ここは蒼《あお》ぐろくてがらんとしたもんだ）
頬《ほほ》がうすあかく瞳《ひとみ》の茶いろ
ただそれっきりのことだ
　　　（おおこのにがさ青さつめたさ）

有明

起伏《きふく》の雪は
あかるい桃の漿《しる》をそそがれ
青ぞらにとけのこる月は
やさしく天に咽喉《のど》を鳴らし
もいちど散乱のひかりを呑《の》む
（波羅《ハラ》僧羯諦《サムギャテイ》　菩提《ボージュ》　薩婆訶《ソワカ》）

谷

ひかりの澱《おり》
三角ばたけのうしろ
かれ草層の上で
わたくしの見ましたのは
顔いっぱいに赤い点うち
硝子《ガラス》様鋼青《ようこうじょう》のことばをつかって
しきりに歪《ゆが》み合いながら
何か相談をやっていた
三人の妖女《ようじょ》たちです

陽《ひ》ざしとかれくさ

どこからかチーゼルが刺《さ》し
光《こう》パラフィンの　蒼《あお》いもや
わをかく、わを描く、からす
烏《からす》の軋《きし》り……からす器械……

（これはかわりますか）
（かわります）
（これはかわりますか）
（かわります）
（これはどうですか）
（かわりません）
（そんなら、おい、ここに
雲の棘《とげ》をもって来い。はやく）
（いいえ　かわります　かわります）

…………………………刺し
光パラフィンの蒼《あお》いもや
わをかく　わを描く　からす
からすの軋り……からす機関

雲の信号

ああいいな、せいせいするな
風が吹くし
農具はぴかぴか光っているし
山はぼんやり
岩頸《がんけい》だって岩鐘《がんしょう》だって
みんな時間のないころのゆめをみているのだ
　そのとき雲の信号は
　もう青白い春の
　禁慾《きんよく》のそら高く掲《かか》げられていた
山はぼんやり
きっと四《し》本杉《ほんすぎ》には
今夜は雁《かり》もおりてくる

風景

雲はたよりないカルボン酸
さくらは咲いて日にひかり
また風が来てくさを吹けば
截《き》られたたらの木もふるう
　さっきはすなつちに廐肥《きゅうひ》をまぶし
　（いま青ガラスの模型《もけい》の底になっている）
ひばりのダムダム弾《だん》がいきなりそらに飛びだせば
　風は青い喪神《そうしん》をふき
　黄金《きん》の草　ゆするゆする
　　雲はたよりないカルボン酸
　　さくらが日に光るのはいなか風《ふう》だ

習作

キンキン光る
西班尼《すぱにあ》製です
　（つめくさ　つめくさ）
こんな舶来《はくらい》の草地でなら
黒砂糖《くろざとう》のような甘ったるい声で唄《うた》ってもいい
と　また鞭《むち》をもち赤い上着を着てもいい
ら　ふくふくしてあたたかだ
よ　野ばらが咲いている　白い花
と　秋には熟したいちごにもなり
す　硝子《ガラス》のような実にもなる野ばらの花だ
れ　　立ちどまりたいが立ちどまらない
ば　とにかく花が白くて足なが蜂《ばち》のかたちなのだ
そ　みきは黒くて黒檀《こくたん》まがい

の手からことりはそらへとんで行く

（あたまの奥のキンキン光って痛いもや）
このやぶはずいぶんよく据《す》えつけられていると
かんがえたのはすぐこの上だ
じっさい岩のように
船のように
据えつけられていたのだから
……仕方ない
ほうこの麦の間に何を播《ま》いたんだ
すぎなだ
すぎなを麦の間作ですか
柘植《つげ》さんが
ひやかしに云《い》っているような
そんな口調《くちよう》がちゃんとひとり
私の中に棲《す》んでいる
和賀《わが》の混《こ》んだ松並木のときだって
そうだ

休息

そのきらびやかな空間の
上部にはきんぽうげが咲き
（上等の butter-cup《バツタカツプ》 ですが
　牛酪《バター》よりは硫黄《いおう》と蜜《みつ》とです）
下にはつめくさや芹《せり》がある
ぶりき細工《ざいく》のとんぼが飛び
雨はぱちぱち鳴っている
（よしきりはなく　なく
　それにぐみの木だってあるのだ）
からだを草に投げだせば
雲には白いとこも黒いとこもあって
みんなぎらぎら湧《わ》いている
帽子《ぼうし》をとって投げつければ黒いきのこしゃっぽ

ふんぞりかえればあたまはどての向こうに行く
あくびをすれば
そらにも悪魔がでて来てひかる
　このかれくさはやわらかだ
　もう極上のクッションだ
雲はみんなむしられて
青ぞらは巨《おお》きな網の目になった
それが底びかりする鉱物板だ
　よしきりはひっきりなしにやり
　ひでりはパチパチ降ってくる

おきなぐさ

風はそらを吹き
そのなごりは草をふく
おきなぐさ冠毛《かんもう》の質直《しつじき》
松とくるみは宙に立ち
　（どこのくるみの木にも
　いまみな金《きん》のあかごがぶらさがる）
ああ黒のしゃっぽのかなしさ
おきなぐさのはなをのせれば
幾きれうかぶ光酸《こうさん》の雲

かわばた

かわばたで鳥もいないし
（われわれのしょう燕麦《オート》の種子《たね》は）
風の中からせきばらい
おきなぐさは伴奏《ばんそう》をつづけ
光のなかの二人の子

真空溶媒

真《しん》空《くう》溶《よう》媒《ばい》

（Eine Phantasie im Morgen）

融銅《ゆうどう》はまだ眩《くら》めかず
白いハロウも燃えたたず
地平線ばかり明るくなったり陰《かげ》ったり
はんぶん溶《と》けたり澱《よど》んだり
しきりにさっきからゆれている
おれは新らしくてパリパリの
銀杏《いちよう》なみきをくぐってゆく
その一本の水平なえだに
りっぱな硝子《ガラス》のわかものが
もうたいてい三角にかわって
そらをすきとおしてぶらさがっている
けれどもこれはもちろん
そんなにふしぎなことでもない
おれはやっぱり口笛《くちぶえ》をふいて

大またにあるいてゆくだけだ
いちょうの葉ならみんな青い
冴《さ》えかえってふるえている
いまやそこらは alcohol 瓶《びん》のなかのけしき
白い輝雲《きうん》のあちこちが切れて
あの永久の海蒼《かいそう》がのぞきでている
それから新鮮なそらの海鼠《なまこ》の匂《におい》
ところがおれはあんまりステッキをふりすぎた
こんなににわかに木がなくなって
眩《まば》ゆい芝生《しばふ》がいっぱいいっぱいにひらけるのは
そうとも　銀杏並樹《なみき》なら
もう二哩《マイル》もうしろになり
野の緑青《ろくしょう》の縞《しま》のなかで
あさの練兵をやっている
うらうら湧《わ》きあがる昧爽《まいそう》のよろこび
氷ひばりも啼《な》いている
そのすきとおったきれいななみは
そらのぜんたいにさえ

かなりの影《えい》きょうをあたえるのだ
すなわち雲がだんだんあおい虚空《こくう》に融《と》けて
とうとういまは
ころころまるめられたパラフィンの団子《だんご》になって
ぽっかりぽっかりしずかにうかぶ
地平線はしきりにゆすれ
むこうを鼻のあかい灰いろの紳士が
うまぐらいあるまっ白な犬をつれて
あるいていることはじつに明らかだ
（やあ　こんにちは）
（いや　いいおてんきですな）
（どちらへ　ごさんぽですか
なるほど　ふんふん　ときにさくじつ
ゾンネンタールが没《な》くなったそうですが
おききでしたか）
（いいえ　ちっとも
ゾンネンタールと　はてな）
（りんごが中《あた》ったのだそうです）

（りんご、ああ、なるほど
　それはあすこにみえるりんごでしょう）
はるかに湛《たた》える花紺青《はなこんじょう》の地面から
その金いろの苹果《りんご》の樹《き》が
もくりもくりと延びだしている
（金皮のままたべたのです）
（そいつはおきのどくでした
はやく王水《おうすい》をのませたらよかったでしょう）
（王水、口をわってですか
ふんふん、なるほど）
（いや王水はいけません
やっぱりいけません
死ぬよりしかたなかったでしょう
うんめいですな
せつりですな
あなたとはご親類ででもいらっしゃいますか）
（ええええ　もうごくごく遠いしんるいで）
いったいなにをふざけているのだ

みろ、その馬ぐらいあった白犬が
はるかのはるかのむこうへ遁《に》げてしまって
いまではやっと南京鼠《なんきんねずみ》のくらいにしか見えない
（あ、わたくしの犬がにげました）
（追いかけてもだめでしょう）
（いや、あれは高価《たか》いのです
おさえなくてはなりません
　さよなら）
苹果《りんご》の樹《き》がむやみにふえた
おまけにのびた
おれなどは石炭紀の鱗木《りんぼく》のしたの
ただいっぴきの蟻《あり》でしかない
犬も紳士もよくはしったもんだ
東のそらが苹果林のあしなみに
いっぱい琥珀《こはく》をはっている
そこからかすかな苦扁桃《くへんとう》の匂《におい》がくる
すっかり荒《す》さんだひるまになった
どうだこの天頂《てんちょう》の遠いこと

このものすごいそらのふち
愉快《ゆかい》な雲雀《ひばり》もとうに吸いこまれてしまった
かあいそうにその無窮遠《むきゅうえん》の
つめたい板の間《ま》にへたばって
瘠《や》せた肩をぷるぷるしてるにちがいない
もう冗談ではなくなった
画《え》かきどものすさまじい幽霊《ゆうれい》が
すばやくそこらをはせぬけるし
雲はみんなリチウムの紅《あか》い焰《ほのお》をあげる
それからけわしいひかりのゆきき
くさはみな褐藻類《かっそうるい》にかわられた
ここここそわびしい雲の焼け野原
風のジグザグや黄いろの渦《うず》
そらがせわしくひるがえる
なんというとげとげしたさびしさだ
　（どうなさいました　牧師さん）
あんまりせいが高すぎるよ
　（ご病気ですか

たいへんお顔いろがわるいようです）
（いやありがとう
べつだんどうもありません
あなたはどなたですか）
（わたくしは保安掛《ほあんがか》りです）
いやに四かくな背嚢《はいのう》だ
そのなかに苦味丁幾《くみちんき》や硼酸《ほうさん》や
いろいろはいっているんだな
（そうですか
今日なんかおつとめも大へんでしょう）
（ありがとう
いま途中で行き倒《だお》れがありましてな）
（どんなひとですか）
（りっぱな紳士です）
（はなのあかいひとでしょう）
（そうです）
（犬はつかまっていましたか）
（臨終《りんじゅう》にそういっていましたがね

犬はもう十五哩《マイル》もむこうでしょう
　じつにいい犬でした）
（ではあのひとはもう死にましたか）
（いいえ　露《つゆ》がおりればなおります
まあちょっと黄いろな時間だけの仮死《かし》ですな
ううひどい風だ　まいっちまう）
まったくひどいかぜだ
たおれてしまいそうだ
沙漠《さばく》でくされた駝鳥《だちょう》の卵
たしかに硫化水素《りゅうかすいそ》ははいっているし
ほかに無水亜硫酸《むすいありゅうさん》
つまりこれはそらからの瓦斯《ガス》の気流に二つある
しょうとつして渦《うず》になって硫黄華《いおうか》ができる
　　気流に二つあって硫黄華ができる
　　　気流に二つあって硫黄華ができる
（しっかりなさい　しっかり
もしもし　しっかりなさい
とうとう参ってしまったな

たしかにまいった
　そんならひとつお時計をちょうだいしますかな）
おれのかくしに手を入れるのは
なにがいったい保安掛《ほあんがか》りだ
必要がない　どなってやろうか
　　　　どなってやろうか
　　　　　どなってやろうか
　　　　　　どなっ……

水が落ちている
ありがたい有難《ありがた》い神はほめられよ　雨だ
悪い瓦斯《ガス》はみんな溶《と》けろ
（しっかりなさい　しっかり
もう大丈夫《だいじょうぶ》です）
何が大丈夫だ　おれははね起きる
（だまれ　きさま
　黄いろな時間の追剝《おいはぎ》め
飄然《ひょうぜん》たるテナルディ軍曹《ぐんそう》だ
きさま

あんまりひとをばかにするな
　保安掛りとはなんだ　きさま）
いい気味だ　ひどくしょげてしまった
ちぢまってしまったちいさくなってしまった
ひからびてしまった
四角な背嚢《はいのう》ばかりのこり
ただ一かけの泥炭《でいたん》になった
ざまを見ろじつに醜《みにく》い泥炭なのだぞ
背嚢なんかなにを入れてあるのだ
保安掛り、じつにかあいそうです
カムチャッカの蟹《かに》の缶詰《かんづめ》と
陸稲《おかぼ》の種子《たね》がひとふくろ
ぬれた大きな靴《くつ》が片っ方
それと赤鼻紳士の金鎖《きんぐさり》
どうでもいい　実にいい空気だ
ほんとうに液体のような空気だ
（ウーイ　神はほめられよ
　みちからのたたうべきかな

　ウーイ　いい空気だ）
そらの澄明《ちょうめい》　すべてのごみはみな洗われて
ひかりはすこしもとまらない
だからあんなにまっくらだ
太陽がくらくらまわっているにもかかわらず
おれは数しれぬほしのまたたきを見る
ことにもしろいマジェラン星雲
草はみな葉緑素を恢復《かいふく》し
葡萄糖《ぶどうとう》を含《ふく》む月光液《げっこうえき》は
もうよろこびの脈さえうつ
泥炭《でいたん》がなにかぶつぶつ言っている
（もしもし　牧師さん
　あの馳《は》せ出した雲をごらんなさい
　まるで天の競馬のサラアブレッドです）
（うん　きれいだな
　雲だ　競馬だ
　天のサラアブレッドだ　雲だ）
あらゆる変幻《へんげん》の色彩《しきさい》を示し

……もうおそい　ほめるひまなどない
虹彩《こうさい》はあわく変化はゆるやか
いまは一むらの軽い湯気《ゆげ》になり
零下《れいか》二千度の真空溶媒《しんくうようばい》のなかに
すっととられて消えてしまう
それどこでない　おれのステッキは
いったいどこへ行ったのだ
上着もいつかなくなっている
チョッキはたったいま消えて行った
恐るべくかなしむべき真空溶媒は
こんどはおれに働きだした
まるで熊《くま》の胃袋《いぶくろ》のなかだ
それでもどうせ質量不変の定律だから
べつにどうにもなっていない
といったところでおれという
この明らかな牧師の意識から
ぐんぐんものが消えて行くとは情ない
（いやあ　奇遇《きぐう》ですな）

（おお　赤鼻紳士
とうとう犬がおつかまりでしたな）
（ありがとう　しかるに
あなたは一体どうなすったのです）
（上着をなくして大へん寒いのです）
（なるほど　はてな
あなたの上着はそれでしょう）
（どれですか）
（あなたが着ておいでになるその上着）
（なるほど　ははあ
真空のちょっとした奇術《トリック》ですな）
（ええ　そうですとも
ところがどうもおかしい
それはわたしの金鎖《きんぐさり》ですがね）
（ええどうせその泥炭《でいたん》の保《ほ》安掛《あんがか》りの作用です）
（ははあ　泥炭のちょっとした奇術ですな）
（そうですとも
犬があんまりくしゃみをしますが大丈夫《だいじょうぶ》ですか）

（なあにいつものことです）
（大きなもんですな）
（これは北極犬です）
（馬の代りには使えないんですか）
（使えますとも　どうです
　お召《め》しなさいませんか）
（どうもありがとう
　そんなら拝借しますかな）
（さあどうぞ）
おれはたしかに
その北極犬のせなかにまたがり
犬神《いぬがみ》のように東へ歩き出す
まばゆい緑のしばくさだ
おれたちの影は青い沙漠旅行《さばくりょこう》
そしてそこはさっきの銀杏《いちょう》の並樹《なみき》
こんな華奢《きゃしゃ》な水平な枝に
硝子《ガラス》のりっぱなわかものが
すっかり三角になってぶらさがる

蠕虫《アンネリダ》　舞手《タンツエーリン》

（ええ、水ゾルですよ
　おぼろな寒天《アガア》の液ですよ）
日は黄金《きん》の薔薇《ばら》
赤いちいさな蠕虫《ぜんちゅう》が
水とひかりをからだにまとい
ひとりでおどりをやっている
（ええ、8《エイト》　γ《ガムマア》　e《イー》　6《スイックス》　α《アルファ》
　ことにもアラベスクの飾《かざ》り文字）
羽むしの死骸《しがい》
いちいのかれ葉
真珠《しんじゅ》の泡に
ちぎれたこけの花軸《かじく》など
（ナチラナトラのひいさまは

いまみず底のみかげのうえに
黄いろなかげとおふたりで
せっかくおどっていられます
いいえ、けれども、すぐでしょう
まもなく浮いておいででしょう）
赤い蠕虫《アンネリダ》舞手《タンツエーリン》は
とがった二つの耳をもち
燐光珊瑚《りんこうさんご》の環節《かんせつ》に
正しく飾る真珠《しんじゅ》のぼたん
くるりくるりと廻《まわ》っています
（ええ　8《エイト》　γ《ガムマア》　e《イー》　6《スイックス》　α《アルファ》
　ことにもアラベスクの飾り文字）
背中きらきら燦《かがや》いて
ちからいっぱいまわりはするが
真珠もじつはまがいもの
ガラスどころか空気だま
（いいえ、それでも
エイト　ガムマア　イー　スイックス　アルファ

ことにもアラベスクの飾り文字）
水晶体《すいしょうたい》や鞏膜《きょうまく》の
オペラグラスにのぞかれて
おどっているといわれても
真珠の泡を苦にするのなら
おまえもさっぱりらくじゃない
それに日が雲に入ったし
わたしは石に座《すわ》ってしびれが切れたし
水底の黒い木片は毛虫か海鼠《なまこ》のようだしさ
それに第一おまえのかたちは見えないし
ほんとに溶《と》けてしまったのやら
それともみんなはじめから
おぼろに青い夢だやら
（いいえ、あすこにおいでです　おいでです
ひいさま　いらっしゃいます
8《エイト》 γ《ガムマア》 e《イー》 6《スイックス》 α《アルファ》
ことにもアラベスクの飾り文字）
ふん、水はおぼろで

ひかりは惑《まど》い
虫は　エイト　ガムマア　イー　スイックス　アルファ
　ことにもアラベスクの飾り文字かい
　ハッハッハ
（はい　まったくそれにちがいません
　エイト　ガムマア　イー　スイックス　アルファ
　ことにもアラベスクの飾り文字）

小岩井農場

小岩井農場

パート一

わたくしはずいぶんすばやく汽車からおりた
そのために雲がぎらっとひかったくらいだ
けれどももっとはやいひとはある
化学の並川さんによく肖《に》たひとだ
あのオリーブのせびろなどは
そっくりおとなしい農学士だ
さっき盛岡のていしゃばでも
たしかにわたくしはそうおもっていた
このひとが砂糖水のなかの
つめたくあかるい待合室から

ひとあしでるとき……わたくしもでる
馬車がいちだいたっている
馭者《ぎょしゃ》がひとことなにかいう
黒塗りのすてきな馬車だ
光沢消《つやけ》しだ
馬も上等のハックニー
このひとはかすかにうなずき
それからじぶんという小さな荷物を
載《の》っけるという気軽《きがる》なふうで
馬車にのぼってこしかける
（わずかの光の交錯《こうさく》だ）
その陽《ひ》のあたったせなかが
すこし屈《かが》んでしんとしている
わたくしはあるいて馬と並ぶ
これはあるいは客馬車だ
どうも農場のらしくない
わたくしにも乗れといえばいい
馭者がよこから呼べばいい

乗らなくたっていいのだが
これから五里もあるくのだし
くらかけ山の下あたりで
ゆっくり時間もほしいのだ
あすこなら空気もひどく明瞭《めいりょう》で
樹《き》でも艸《くさ》でもみんな幻燈《げんとう》だ
もちろんおきなぐさも咲いているし
野はらは黒ぶどう酒《しゅ》のコップもならべて
わたくしを款待《かんたい》するだろう
そこでゆっくりとどまるために
本部まででも乗った方がいい
今日ならわたくしだって
馬車に乗れないわけではない
(あいまいな思惟《しい》の蛍光《けいこう》
　きっといつでもこうなのだ)
もう馬車がうごいている
(これがじつにいいことだ
　どうしようか考えているひまに

　それが過ぎて滅《な》くなるということ）
ひらっとわたくしを通り越す
みちはまっ黒の腐植土《ふしょくど》で
雨《あま》あがりだし弾力もある
馬はピンと耳を立て
その端《はじ》は向こうの青い光に尖《とが》り
いかにもきさくに馳《か》けて行く
うしろからはもうたれも来ないのか
つつましく肩をすぼめた停車場《ていしゃば》と
新開地風の飲食店
ガラス障子はありふれてでこぼこ
わらじや sun-maid のから函《ばこ》や
夏みかんのあかるいにおい
汽車からおりたひとたちは
さっきたくさんあったのだが
みんな丘かげの茶褐部落や
繋《つなぎ》あたりへ往《い》くらしい
西にまがって見えなくなった

いまわたくしは歩測のときのよう
しんかい地ふうのたてものは
みんなうしろに片附《かたづ》けた
そしてここそ畑になっている
黒馬が二ひき汗でぬれ
犂《プラウ》をひいて往《い》ったりきたりする
ひわいろのやわらかな山のこっちがわだ
山ではふしぎに風がふいている
嫩葉《わかば》がさまざまにひるがえる
ずうっと遠くのくらいところでは
鶯《うぐいす》もごろごろ啼《な》いている
その透明な群青《ぐんじょう》のうぐいすが
（ほんとうの鶯の方はドイツ読本の
ハンスがうぐいすでないよと云《い》った）
馬車はずんずん遠くなる
大きくゆれるしはねあがる
紳士もかろくはねあがる
このひとはもうよほど世間をわたり

いまは青ぐろいふちのようなとこへ
すましてこしかけているひとなのだ
そしてずんずん遠くなる
はたけの馬は二ひき
ひとはふたりで赤い
雲に濾《こ》された日光のために
いよいよあかく灼《や》けている
冬にきたときとはまるでべつだ
みんなすっかり変っている
変ったとはいえそれは雪が往き
雲が展《ひら》けてつちが呼吸し
幹や芽のなかに燐光《りんこう》や樹液《じゅえき》がながれ
あおじろい春になっただけだ
それよりもこんなせわしい心象の明滅《めいめつ》をつらね
すみやかなすみやかな万法流《ばんぽうる》転《てん》のなかに
小岩井のきれいな野はらや牧場の標本が
いかにも確かに継起《けいき》するということが
どんなに新鮮な奇《き》蹟《せき》だろう

ほんとうにこのみちをこの前行くときは
空気がひどく稠密《ちゅうみつ》で
つめたくそしてあかる過ぎた
今日は七つ森はいちめんの枯草《かれくさ》
松木がおかしな緑褐に
丘のうしろとふもとに生えて
大へん陰鬱《いんうつ》にふるびて見える

パート二

たむぼりんも遠くのそらで鳴ってるし
雨はきょうはだいじょうぶふらない
しかし馬車もはやいと云《い》ったところで
そんなにすてきなわけではない
いままでたってやっとあすこまで
ここからあすこまでのこのまっすぐな
火山灰のみちの分だけ行ったのだ
あすこはちょうどまがり目で

すがれの草穂《くさぼ》もゆれている
（山は青い雲でいっぱい　光っているし
　かけて行く馬車はくろくてりっぱだ）
ひばり　ひばり
銀の微塵《みじん》のちらばるそらへ
たったいまのぼったひばりなのだ
くろくてすばやくきんいろだ
そらでやる Brownian movement
おまけにあいつの翅《はね》ときたら
甲虫のように四まいある
飴《あめ》いろのやつと硬《かた》い漆《うるし》ぬりの方と
たしかに二重《ふたえ》にもっている
よほど上手に鳴いている
そらのひかりを呑《の》みこんでいる
光波のために溺《おぼ》れている
もちろんずっと遠くでは
もっとたくさんないている
そいつのほうはいけいだ

向こうからはこっちのやつがひどく勇敢《ゆうかん》に見える
うしろから五月のいまごろ
黒いながいオーヴァを着た
医者らしいものがやってくる
たびたびこっちをみているようだ
それは一本みちを行くときに
ごくありふれたことなのだ
冬にもやっぱりこんなあんばいに
くろいイムバネスがやってきて
本部へはこれでいいんですかと
遠くからことばの浮標《ブイ》をなげつけた
でこぼこのゆきみちを
辛《かろ》うじて咀嚼《そしやく》するという風にあるきながら
本部へはこれでいいんですかと
心細《こころぼそ》そうにきいたのだ
おれはぶっきら棒にああと言っただけなので
ちょうどそれだけ大《たい》へんかあいそうな気がした
きょうのはもっと遠くからくる

パート三

もう入口だ〔小岩井農場〕
　（いつものとおりだ）
混《こ》んだ野ばらやあけびのやぶ
〔もの売りきのことりお断《ことわ》り申し候《そうろう》〕
　（いつものとおりだ　じき医院もある）
〔禁猟区《きんりようく》〕ふん　いつものとおりだ。
小さな沢と青い木《こ》だち
沢では水が暗くそして鈍《にぶ》っている
また鉄ゼルの fluorescence
向こうの畑《はたけ》には白樺《しらかば》もある
白樺は好摩《こうま》からむこうですと
いつかおれは羽田県属に言っていた
ここはよっぽど高いから
柳沢つづきの一帯だ
やっぱり好摩にあたるのだ

どうしたのだこの鳥の声は
なんというたくさんの鳥だ
鳥の小学校にきたようだ
雨のようだし湧《わ》いてるようだ
居《い》る居る鳥がいっぱいにいる
なんという数だ　鳴く鳴く鳴く
Rondo Capriccioso
ぎゅつくぎゅつくぎゅつくぎゅつく
あの木のしんにも一ぴきいる
禁猟区《きんりょうく》のためだ　飛びあがる
（禁猟区のためでない　ぎゅつくぎゅつく）
一ぴきでない　ひとむれだ
十疋《ぴき》以上だ　弧《こ》をつくる
（ぎゅつく　ぎゅつく）
三またの槍《やり》の穂　弧をつくる
青びかり青びかり赤楊《はん》の木立《こだち》
のぼせるくらいだこの鳥の声
（その音がぼっとひくくなる

うしろになってしまったのだ
あるいはちゅういのりずむのため
　両方ともだ　とりのこえ）
木立がいつか並樹《なみき》になった
この設計は飾絵《かざりえ》式だ
けれども偶然《ぐうぜん》だからしかたない
荷馬車がたしか三台とまっている
生《なま》な松の丸太がいっぱいにつまれ
陽《ひ》がいつかこっそりおりてきて
あたらしいテレピン油の蒸気圧《じょうきあつ》
一台だけがあるいている。
けれどもこれは樹や枝のかげでなくて
しめった黒い腐植質《ふしょくしつ》と
石竹《せきちく》いろの花のかけら
さくらの並樹になったのだ
こんなしずかなめまぐるしさ

この荷馬車にはひとがついていない

馬は払い下げの立派なハックニー
脚《あし》のゆれるのは年老《としと》ったため
（おい　ヘングスト　しっかりしろよ
三日月《みかづき》みたいな眼《め》つきをして
おまけになみだがいっぱいで
陰気にあたまを下げていられると
おれはまったくたまらないのだ
威勢《いせい》よく桃いろの舌をかみふっと鼻を鳴らせ）
ぜんたい馬の眼のなかには複雑なレンズがあって
けしきやみんなへんにうるんでいびつにみえる……
……馬車挽《ひ》きはみんなといっしょに
向こうのどてのかれ草に
腰をおろしてやすんでいる
三人赤くわらってこっちをみ
また一人は大股《おおまた》にどてのなかをあるき
なにか忘れものでももってくるという風《ふう》…（蜂函《はちばこ》の白ペンキ）
桜の木には天狗巣病《てんぐすびょう》がたくさんある
天狗巣ははやくも青い葉をだし

馬車のラッパがきこえてくれば
ここが一ぺんにスイッツルになる
遠くでは鷹《たか》がそらを截《き》っているし
からまつの芽はネクタイピンにほしいくらいだし
いま向こうの並樹《なみき》をくらっと青く走って行ったのは
（騎手はわらい）赤銅《しやくどう》の人馬《じんば》の徽章《きしよう》だ

パート四

本部の気取《きど》った建物が
桜やポプラのこっちに立ち
そのさびしい観測台のうえに
ロビンソン風力計の小さな椀《わん》や
ぐらぐらゆれる風信器を
わたくしはもう見出さない
　さっきの光沢消《つやけ》しの立派の馬車は
いまごろどこかで忘れたようにとまってようし
五月の黒いオーヴァコートも

どの建物かにまがって行った
冬にはここの凍《こお》った池で
こどもらがひどくわらった
（から松はとびいろのすてきな脚《あし》です
向こうにひかるのは雲でしょうか粉雪でしょうか
それとも野はらの雪に日が照っているのでしょうか
氷滑《こおりすべ》りをやりながらなにがそんなにおかしいのです
おまえさんたちの頬《ほ》っぺたはまっ赤《か》ですよ）
葱《ねぎ》いろの春の水に
楊《ベムベロ》の花芽ももうぼやける……
はたけは茶いろに掘りおこされ
廐肥《きゅうひ》も四角につみあげてある
並樹《なみき》ざくらの天狗巣《てんぐす》には
いじらしい小さな緑の旗を出すのもあり
遠くの縮れた雲にかかるのでは
みずみずした鶯《うぐいす》いろの弱いのもある……
あんまりひばりが啼《な》きすぎる
（育馬部と本部とのあいだでさえ

ひばりやなんか一ダースできかない）
そのキルギス式の逞《たく》ましい耕地の線が
ぐらぐらの雲にうかぶこちら
みじかい素朴《そぼく》な電話ばしらが
右にまがり左へ傾きひどく乱れて
まがりかどには一本の青木
（白樺《しらかば》だろう　楊《やなぎ》ではない）
耕耘部《こううんぶ》へはここから行くのがちかい
ふゆのあいだだって雪がかたまり
馬橇《ばそり》も通っていったほどだ
（ゆきがかたくはなかったようだ
なぜならそりはゆきをあげた
たしかに酵母《こうぼ》のちんでんを
冴《さ》えた気流に吹きあげた）
あのときはきらきらする雪の移動のなかを
ひとはあぶなっかしいセレナーデを口笛《くちぶえ》に吹き
往《い》ったりきたりなんべんしたかわからない
（四列の茶いろな落葉松《らくようしょう》）

けれどもあの調子はずれのセレナーデが
風やときどきぱっとたつ雪と
どんなによくつりあっていたことか
それは雪の日のアイスクリームとおなじ
（もっともそれなら暖炉《だんろ》もまっ赤《か》だろうし
muscovite も少しそっぽに灼《や》けるだろうし
　おれたちには見られないぜい沢《たく》だ）

春のヴァンダイクブラウン
きれいにはたけは耕耘《こううん》された
雲はきょうも白金《はくきん》と白金黒《はくきんこく》
そのまばゆい明暗《めいあん》のなかで
ひばりはしきりに啼《な》いている
　（雲の讃歌《さんか》と日の軋《きし》り）
それから眼《め》をまたあげるなら
灰いろなもの走るもの蛇《へび》に似たもの　雉子《きじ》だ
亜鉛鍍金《あえんめっき》の雉子なのだ
あんまり長い尾をひいてうららかに過ぎれば
もう一疋《ぴき》が飛びおりる

山鳥《やまどり》ではない
（山鳥ですか？　山で？　夏に？）
あるくのははやい　流れている
オレンジいろの日光のなかを
雉子はするするながれている
啼いている
それが雉子の声だ
いま見はらかす耕地のはずれ
向こうの青草の高みに四五本乱れて
なんという気まぐれなさくらだろう
みんなさくらの幽霊《ゆうれい》だ
内面はしだれやなぎで
鴇《とき》いろの花をつけている
（空でひとむらの海綿白金《プラチナムスポンジ》がちぎれる）
それらかがやく氷片《ひょうへん》の懸吊《けんちょう》をふみ
青らむ天のうつろのなかへ
かたなのようにつきすすみ
すべて水いろの哀愁《あいしゅう》を焚《た》き

さびしい反照《はんしょう》の偏光《へんこう》を截《き》れ
いま日を横ぎる黒雲は
侏羅《じゅら》や白堊《はくあ》のまっくらな森林のなか
爬虫《はちゅう》がけわしく歯を鳴らして飛ぶ
その氾濫《はんらん》の水けむりからのぼったのだ
たれも見ていないその地質時代の林の底を
水は濁ってどんどんながれた
いまこそおれはさびしくない
たったひとりで生きて行く
こんなきままなたましいと
たれがいっしょに行けようか
大びらにまっすぐに進んで
それでいけないというのなら
田舎《いなか》ふうのダブルカラなど引き裂《さ》いてしまえ
それからさきがあんまり青黒くなってきたら……
そんなさきまでかんがえないでいい
ちからいっぱい口笛《くちぶえ》を吹け
口笛をふけ　陽《ひ》の錯綜《さくそう》

たよりもない光波のふるい
すきとおるものが一列わたくしのあとからくる
ひかり　かすれ　またうたうように小さな胸を張り
またほのぼのとかがやいてわらう
みんなすあしのこどもらだ
ちらちら瓔珞《ようらく》もゆれているし
めいめい遠くのうたのひとくさりずつ
緑金寂静《ろくきんじやくじよう》のほのおをたもち
これらはあるいは天の鼓手《こしゆ》、緊那羅《きんなら》のこどもら
（五本の透明なさくらの木は
　青々とかげろうをあげる）
わたくしは白い雑嚢《ざつのう》をぶらぶらさげて
きままな林務官《りんむかん》のように
五月のきんいろの外光のなかで
口笛をふき歩調をふんでわるいだろうか
たのしい太陽系の春だ
みんなはしったりうたったり
はねあがったりするがいい

（コロナは八十三万二百……）
あの四月の実習のはじめの日
液肥をはこぶいちにちいっぱい
光炎菩薩《こうえんぼさつ》太陽マジックの歌が鳴った
（コロナは八十三万四百……）
ああ陽光のマジックよ
ひとつのせきをこえるとき
ひとりがかつぎ棒をわたせば
それは太陽のマジックにより
磁石《じしやく》のようにもひとりの手に吸いついた
（コロナは七十七万五千……）
どのこどもかが笛《ふえ》を吹いている
それはわたくしにきこえない
けれどもたしかにふいている
（ぜんたい笛というものは
きまぐれなひょろひょろの酋長《しゆうちよう》だ）
みちがぐんぐんうしろから湧《わ》き

過ぎて来た方へたたんで行く
むら気な四本の桜も
記憶のようにとおざかる
たのしい地球の気圏《きけん》の春だ
みんなうたったりはしったり
はねあがったりするがいい

パート五　パート六

パート七

とびいろのはたけがゆるやかに傾斜《けいしゃ》して
すきとおる雨のつぶに洗われている
そのふもとに白い笠《かさ》の農夫が立ち
つくづくとそらのくもを見あげ
こんどはゆっくりあるきだす
（まるで行きつかれたたび人だ）

汽車の時間をたずねてみよう
ここはぐちゃぐちゃした青い湿地で
もうせんごけも生えている
（そのうすあかい毛もちぢれているし
どこかのがまの生えた沼地を
ネー将軍麾下《きか》の騎兵《きへい》の馬が
泥に一尺《しゃく》ぐらい踏《ふ》みこんで
すぱすぱ渉《わた》って進軍もした）
雲は白いし農夫はわたしをまっている
またあるきだす（縮れてぎらぎらの雲）
トッパースの雨の高みから
けらを着た女の子がふたりくる
シベリヤ風に赤いきれをかぶり
まっすぐにいそいでやってくる
（Miss Robin）働きにきているのだ
農夫は富士見の飛脚《ひきゃく》のように
笠《かさ》をかしげて立って待ち
白い手甲《てこう》さえはめている、もう二十米《メートル》だから

しばらくあるきださないでくれ
じぶんだけせっかく待っていても
用がなくてはこまるとおもって
あんなにぐらぐらゆれるのだ
（青い草穂《くさぼ》は去年のだ）
あんなにぐらぐらゆれるのだ
さわやかだし顔も見えるから
ここからはなしかけていい
シャッポをとれ（黒い羅沙《らしゃ》もぬれ）
このひとはもう五十ぐらいだ
（ちょっとお訊《ぎ》ぎ申しあんす
盛岡行ぎ汽車なん時だべす）
（三時だたべが）
ずいぶん悲しい顔のひとだ
博物館の能面にも出ているし
どこかに鷹《たか》のきもちもある
うしろのつめたく白い空では
ほんとうの鷹がぶうぶう風を截《き》る

雨をおとすその雲母摺《きらず》りの雲の下
はたけに置かれた二台のくるま
このひとはもう行こうとする
白い種子《たね》は燕麦《オート》なのだ
（燕麦播《ま》ぎすか）
（あんいま向《もご》でやってら）
この爺《じい》さんはなにか向こうを畏《おそ》れている
ひじょうに恐ろしくひどいことが
そっちにあるとおもっている
そこには馬のつかない厩肥車《こやしぐるま》と
けわしく翔《か》ける鼠《ねずみ》いろの雲ばかり
こわがっているのは
やっぱりあの蒼鉛《そうえん》の労働なのか
（こやし入れだのすか
堆肥《たいひ》ど過燐酸《かりんさん》どすか）
（あんそうす）
（ずいぶん気持のいい処《どご》だもな）
（ふう）

この人はわたくしとはなすのを
なにか大へんはばかっている
それはふたつのくるまのよこ
はたけのおわりの天末線《スカイライン》
ぐらぐらの空のこっち側を
すこし猫背《ねこぜ》でせいの高い
くろい外套《がいとう》の男が
雨雲に銃《じゅう》を構《かま》えて立っている
あの男がどこか気がへんで
急に鉄砲《てっぽう》をこっちへ向けるのか
あるいは Miss Robin たちのことか
それとも両方いっしょなのか
どっちも心配しないでくれ
わたくしはどっちもこわくない
やってるやってるそらで鳥が
（あの鳥何て云《い》うす　此処《ここ》らで）
（ぶどしぎ）
（ぶどしぎて云うのか）

（あん　曇《くも》るづどよぐ出はら）
から松の芽の緑玉髄《クリソプレース》
かけて行く雲のこっちの射手《しやしゆ》は
またもったいらしく銃《じゆう》を構《かま》える
（三時の次ぁ何時だべす）
（五時だべが　ゆぐ知らなぃ）
過燐酸石灰《かりんさんせつかい》のズック袋
水溶《すいよう》十九と書いてある
学校のは十五％だ
雨はふるしわたくしの黄いろな仕事着もぬれる
遠くのそらではそのぼとしぎどもが
大きく口をあいてビール瓶《びん》のように鳴り
灰いろの咽喉《のど》の粘膜《ねんまく》に風をあて
めざましく雨を飛んでいる
少しばかり青いつめくさの交《まじ》った
かれくさと雨の雫《しずく》との上に
菩提樹皮《まだかわ》の厚いけらをかぶって
さっきの娘たちがねむっている

爺《じい》さんはもう向こうへ行き
射手は肩を怒《いか》らして銃を構える
（ぼとしぎのつめたい発動機は……）
ぼとしぎはぶうぶう鳴り
いったいなにを射《う》とうというのだ
爺さんの行った方から
わかい農夫がやってくる
かおが赤くて新鮮にふとり
セシルローズ型の円《まる》い肩をかがめ
燐酸のあき袋をあつめてくる
二つはちゃんと肩に着ている
（降ってげだごとなさ）
（なあにすぐ霽《は》れらんす）
火をたいている
赤い焰《ほのお》もちらちらみえる
農夫も戻るしわたくしもついて行こう
これらのからまつの小さな芽をあつめ
わたくしの童話をかざりたい

ひとりのむすめがきれいにわらって起きあがる
みんなはあかるい雨の中ですうすうねむる
　《うな　いいおなごだもな》
にわかにそんなに大声にどなり
まっ赤《か》になって石臼《いしうす》のように笑うのは
このひとは案外にわかいのだ
すきとおって火が燃えている
青い炭素のけむりも立つ
わたくしもすこしあたりたい
　《おらも中《あだ》ってもいがべが》
　《いてす　さぁおあだりゃんせ》
　《汽車三時すか》
　《三時四十分
　　まだ一時にもならないも》
火は雨でかえって燃える
自由射手《フライシユッツ》は銀のそら
ぼとしぎどもは鳴らす鳴らす
すっかりぬれた　寒い　がたがたする

パート九

すきとおってゆれているのは
さっきの剽悍《ひょうかん》な四本のさくら
わたくしはそれを知っているけれども
眼《め》にははっきり見ていない
たしかにわたくしの感官の外《そと》で
つめたい雨がそそいでいる
（天の微光《びこう》にさだめなく
　うかべる石をわがふめば
　おおユリア　しずくはいとど降りまさり
　カシオペーアはめぐり行く）
ユリアがわたくしの左を行く
大きな紺《こん》いろの瞳《ひとみ》をりんと張って
ユリアがわたくしの右を行く
ペムペルがわたくしの右にいる
……………はさっき横へ外《そ》れた

あのから松の列のとこから横へ外《そ》れた
《幻想が向こうから迫ってくるときは
　もうにんげんの壊《こわ》れるときだ》
わたくしははっきり眼《め》をあいてあるいているのだ
ユリア、ペムペル、わたくしの遠いともだちよ
わたくしはずいぶんしばらくぶりで
きみたちの巨《おお》きなまっ白なすあしを見た
どんなにわたくしはきみたちの昔の足あとを
白堊《はくあ》系の頁岩《けつがん》の古い海岸にもとめただろう
《あんまりひどい幻想だ》
わたくしはなにをびくびくしているのだ
どうしてもどうしてもさびしくてたまらないときは
ひとはみんなきっと斯《こ》ういうことになる
きみたちときょうあうことができたので
わたくしはこの巨きな旅のなかの一つづりから
血みどろになって遁《に》げなくてもいいのです
（ひばりが居るような居ないような
　腐植質《ふしょくしつ》から麦が生え

　雨はしきりに降っている)
そうです、農場のこのへんは
まったく不思議におもわれます
どうしてかわたくしはここらを
der heilige Punkt と
呼びたいような気がします
この冬だって耕耘部《こううん》まで用事で来て
ここいらの匂《におい》のいいふぶきのなかで
なにとはなしに聖《きよ》いこころもちがして
凍《こご》えそうになりながらいつまでもいつまでも
いったり来たりしていました
さっきもそうです
どこの子どもらですかあの瓔珞《ようらく》をつけた子は
《そんなことでだまされてはいけない
　ちがった空間にはいろいろちがったものがいる
　それにだいいちさっきからの考えようが
　まるで銅版のようなのに気がつかないか》
雨のなかでひばりが鳴いているのです

あなたがたは赤い瑪瑙《めのう》の棘《とげ》でいっぱいな野はらも
その貝殻《かいがら》のように白くひかり
底の平らな巨《おお》きなすあしにふむのでしょう
　もう決定した　そっちへ行くな
　これらはみんなただしくない
いま疲《つか》れてかたちを更《か》えたおまえの信仰《しんこう》から
　発散して酸《す》えたひかりの澱《おり》だ
　ちいさな自分を劃《くぎ》ることのできない
この不可思議《ふかしぎ》な大きな心象宙宇《ちゅうう》のなかで
もしも正しいねがいに燃えて
じぶんとひとと万象《ばんしょう》といっしょに
至上福祉《ふくし》にいたろうとする
それをある宗教情操《じょうそう》とするならば
そのねがいから砕《くだ》けまたは疲れ
じぶんとそれからたったもひとつのたましいと
完全そして永久にどこまでもいっしょに行こうとする
この変態を恋愛という
そしてどこまでもその方向では

決して求め得られないその恋愛の本質的な部分を
むりにもごまかし求め得ようとする
この傾向を性慾《せいよく》という
すべてこれら漸移《ぜんい》のなかのさまざまな過程に従って
さまざまな眼《め》に見えまた見えない生物の種類がある
この命題は可逆的にもまた正しく
わたくしにはあんまり恐ろしいことだ
けれどもいくら恐ろしいといっても
それがほんとうならしかたない
さあはっきり眼をあいてたれにも見え
明確に物理学の法則にしたがう
これら実在の現象のなかから
あたらしくまっすぐに起《た》て
明るい雨がこんなにたのしくそそぐのに
馬車が行く　馬はぬれて黒い
ひとはくるまに立って行く
もうけっしてさびしくはない
なんべんさびしくないと云《い》ったとこで

またさびしくなるのはきまっている
けれどもここはこれでいいのだ
すべてさびしさと悲傷とを焚《た》いて
ひとは透明《とうめい》な軌道《きどう》をすすむ
ラリックス　ラリックス　いよいよ青く
雲はますます縮れてひかり
わたくしはかっきりみちをまがる

グランド電柱

林と思想

そら、ね、ごらん
むこうに霧《きり》にぬれている
蕈《きのこ》のかたちのちいさな林があるだろう
あすこのとこへ
わたしのかんがえが
ずいぶんはやく流れて行って
みんな
溶《と》け込《こ》んでいるのだよ
　ここいらはふきの花でいっぱいだ

霧とマッチ

（まちはずれのひのきと青いポプラ）
霧のなかからにわかにあかく燃えたのは
しゅっと擦《す》られたマッチだけれども
ずいぶん拡大されている
スウィジッシ安全マッチだけれども
よほど酸素が多いのだ
（明方《あけがた》の霧のなかの電燈《でんとう》は
まめいろで匂《におい》もいいし
小学校長をたかぶって散歩することは
まことにつつましく見える）

芝生《しばふ》

風とひのきのひるすぎに
小田中はのびあがり
あらんかぎり手をのばし
灰いろのゴムのまり、光の標本を
受けかねてぽろっとおとす

青い槍《やり》の葉
（mental sketch modified）

　（ゆれるゆれるやなぎはゆれる）
雲は来るくる南の地平
そらのエレキを寄せてくる
鳥はなく啼《な》く青木のほずえ
くもにやなぎのかくこどり
　（ゆれるゆれるやなぎはゆれる）
雲がちぎれて日ざしが降れば
黄金《キン》の幻燈《げんとう》　草の青
気圏《きけん》日本のひるまの底の
泥にならべるくさの列
　（ゆれるゆれるやなぎはゆれる）
雲はくるくる日は銀の盤
エレキづくりのかわやなぎ

風が通ればさえ冴《ざ》え鳴らし
馬もはねれば黒びかり
　（ゆれるゆれるやなぎはゆれる）
雲がきれたかまた日がそそぐ
土のスープと草の列
黒くおどりはひるまの燈籠《とうろ》
泥のコロイドその底に
　（ゆれるゆれるやなぎはゆれる）
りんと立て立て青い槍《やり》の葉
たれを刺《さ》そうの槍じゃなし
ひかりの底でいちにち日がな
泥にならべるくさの列
　（ゆれるゆれるやなぎはゆれる）
雲がちぎれてまた夜があけて
そらは黄水晶《シトリン》ひでりあめ
風に霧《きり》ふくぶりきのやなぎ
くもにしらしらそのやなぎ
　（ゆれるゆれるやなぎはゆれる）

りんと立て立て青い槍の葉
そらはエレキのしろい網《あみ》
かげとひかりの六月の底
気《き》圏《けん》日本の青野原
（ゆれるゆれるやなぎはゆれる）

報告

さっき火事だとさわぎましたのは虹《にじ》でございました
もう一時間もつづいてりんと張って居《お》ります

風景観察官

あの林は
あんまり緑青《ろくしょう》を盛《も》り過ぎたのだ
それでも自然ならしかたないが
また多少プウルキインの現象にもよるようだが
も少しそらから橙黄線《とうおうせん》を送ってもらうようにしたら
どうだろう

ああ何といういい精神だ
株式取引所や議事堂でばかり
フロックコートは着られるものでない
むしろこんな黄水晶《シトリン》の夕方に
まっ青《さお》な稲の槍《やり》の間で
ホルスタインの群《ぐん》を指導するとき

よく適合し効果もある
何というういい精神だろう
たとえそれが羊羹《ようかん》いろでぼろぼろで
あるいはすこし暑くもあろうが
あんなまじめな直立や
風景のなかの敬虔《けいけん》な人間を
わたくしはいままで見たことがない

岩手山

そらの散乱反射《さんらんはんしゃ》のなかに
古ぼけて黒くえぐるもの
ひかりの微塵系列《みじんけいれつ》の底に
きたなくしろく澱《よど》むもの

高原

海だべがど、おら、おもたれば
やっぱり光る山だたぢゃい
ホウ
髪毛《かみけ》　風吹げば
鹿踊《ししおど》りだぢゃい

印象

ラリックスの青いのは
木の新鮮と神経の性質と両方からくる
そのとき展望車の藍《あい》いろの紳士は
X型のかけがねのついた帯革をしめ
すきとおってまっすぐにたち
病気のような顔をして
ひかりの山を見ていたのだ

高級の霧《きり》

こいつはもう
あんまり明るい高級《ハイグレード》の霧です
白樺《しらかば》も芽をふき
からすむぎも
農舎の屋根も
馬もなにもかも
光りすぎてまぶしくて
　（よくおわかりのことでしょうが
　日射《ひざ》しのなかの青と金
　落葉松《ラリックス》は
　たしかとどまつに似て居《お》ります）
まぶし過ぎて
空気さえすこし痛いくらいです

電車

トンネルへはいるのでつけた電燈《でんとう》じゃないのです
車掌《しゃしょう》がほんのおもしろまぎれにつけたのです
こんな豆ばたけの風のなかで

なあに、山火事でござんしょう
なあに、山火事でござんしょう
あんまり大きござんすから
はてな、向こうの光るあれは雲ですな
木きっていますな
いいえ、やっぱり山火事でござんしょう

おい、きさま
日本の萱《かや》の野原をゆくビクトルカランザの配下《はいか》

帽子《ぼうし》が風にとられるぞ
こんどは青い稗《ひえ》を行く貧弱カランザの末輩《まつぱい》
きさまの馬はもう汗でぬれている

天然誘接《てんねんよびつぎ》

北斎《ほくさい》のはんのきの下で
黄の風車まわるまわる
いっぽんすぎは天然誘接ではありません
槻《つき》と杉とがいっしょに生えていっしょに育ち
とうとう幹がくっついて
険《けわ》しい天光《てんこう》に立つというだけです
鳥も棲《す》んではいますけれど

原《はら》体《たい》剣《けん》舞《ばい》連《れん》

(mental sketch modified)

dah-dah-dah-dah-dah-sko-dah-dah

こんや異装《いそう》のげん月のした
鶏《とり》の黒尾を頭巾《ずきん》にかざり
片刃《かたは》の太刀《たち》をひらめかす
原体《はらたい》村の舞手《おどりこ》たちよ
鴇《とき》いろのはるの樹液《じゅえき》を
アルペン農の辛酸《しんさん》に投げ
生《せい》しののめの草いろの火を
高原の風とひかりにささげ
菩提樹皮《まだかわ》と縄《なわ》とをまとう
気圏《きけん》の戦士わが朋《とも》たちよ
青らみわたる顥気《こうき》をふかみ
楢《なら》と椈《ぶな》とのうれいをあつめ

蛇紋山地《じやもんさんち》に篝《かがり》をかかげ
ひのきの髪《かみ》をうちゆすり
まるめろの匂《におい》のそらに
あたらしい星雲を燃せ
　　dah-dah-sko-dah-dah
肌膚《きふ》を腐植《ふしよく》と土にけずらせ
筋骨《きんこつ》はつめたい炭酸に粗《あら》び
月月《つきづき》に日光と風とを焦慮《しようりよ》し
敬虔《けいけん》に年を累《かさ》ねた師父《しふ》たちよ
こんや銀河と森とのまつり
准平原《じゆんへいげん》の天末線《てんまつせん》に
さらにも強く鼓《つづみ》を鳴らし
うす月の雲をどよませ
　　Ho! Ho! Ho!
　　　むかし達谷《たつた》の悪路王《あくろおう》
　　　まっくらくらの二里の洞《ほら》
　　　わたるは夢と黒夜神《こくやじん》
　　　首は刻《きざ》まれ漬《つ》けられ

アンドロメダもかがりにゆすれ
　青い仮面《めん》このこけおどし
　太刀《たち》を浴びてはいっぷかぷ
　夜風の底の蜘蛛《くも》おどり
　胃袋《いぶくろ》はいてぎったぎた
　　dah-dah-dah-dah-dah-sko-dah-dah
さらにただしく刃《やいば》を合《あ》わせ
霹靂《へきれき》の青火をくだし
四方《しほう》の夜《よる》の鬼神《きじん》をまねき
樹液《じゅえき》もふるうこの夜《よ》さひとよ
赤ひたたれを地にひるがえし
雹雲《ひょううん》と風とをまつれ
　　dah-dah-dah-dahh
夜風《よかぜ》とどろきひのきはみだれ
月は射《い》そそぐ銀の矢並《やなみ》
打つも果《は》てるも火花のいのち
太刀の軋《きし》りの消えぬひま
　　dah-dah-dah-dah-dah-sko-dah-dah

太刀は稲妻萱穂《いなずまかやぼ》のさやぎ
獅子《しし》の星座《せいざ》に散る火の雨の
消えてあとない天《あま》のがわら
打つも果てるもひとつのいのち
dah-dah-dah-dah-dah-sko-dah-dah

グランド電柱《でんちゅう》

あめと雲とが地面に垂れ
すすきの赤い穂も洗われ
野原はすがすがしくなったので
花巻《はなまき》グランド電柱の
百の碍子《がいし》にあつまる雀《すずめ》

掠奪《りゃくだつ》のために田にはいり
うるうるうるうると飛び
雲と雨とのひかりのなかを
すばやく花巻大三叉路《だいさんさろ》の
百の碍子にもどる雀

山巡査

おお
何という立派な楢《なら》だ
緑の勲爵士《ナイト》だ
雨にぬれてまっすぐに立つ緑の勲爵士《ナイト》だ
栗《くり》の木ばやしの青いくらがりに
しぶきや雨にびしゃびしゃ洗われている
その長いものは一体舟《ふね》か
それともそりか
あんまりロシヤふうだよ
沼に生えるものはやなぎやサラド
きれいな蘆《よし》のサラドだ

電線工夫

でんしんばしらの気まぐれ碍子《がいし》の修繕者《しゆうぜんしや》
雲とあめとの下のあなたに忠告いたします
それではあんまりアラビアンナイト型です
からだをそんなに黒くかっきり鍵《かぎ》にまげ
外套《がいとう》の裾《すそ》もぬれてあやしく垂れ
ひどく手先を動かすでもないその修繕は
あんまりアラビアンナイト型です
あいつは悪魔のためにあの上に
つけられたのだと云《い》われたとき
どうあなたは弁解をするつもりです

たび人

あめの稲田の中を行くもの
海坊主林《うみぼうずばやし》のほうへ急ぐもの
雲と山との陰気のなかへ歩くもの
もっと合羽《かっぱ》をしっかりしめろ

竹と楢《なら》

煩悶《はんもん》ですか
煩悶ならば
雨の降るとき
竹と楢との林の中がいいのです
（おまえこそ髪《かみ》を刈《か》れ）
竹と楢との青い林の中がいいのです
（おまえこそ髪を刈れ
そんな髪をしているから
そんなことも考えるのだ）

銅線

おい、銅線をつかったな
とんぼのからだの銅線をつかい出したな
　はんのき、はんのき
　交錯光乱転《こうさくこうらんてん》
気圏《きけん》日本では
とうとう電線に銅をつかい出した
（光るものは碍子《がいし》
　過ぎて行くものは赤い萱《かや》の穂）

滝沢野

光波《こうは》測定《そくてい》の誤差《ごさ》から
から松のしんは徒長《とちょう》し
柏《かしわ》の木の烏瓜《からすうり》ランタン
（ひるの鳥は曠野《こうや》に啼《な》き
　あざみは青い棘《とげ》に遷《うつ》る）
太陽が梢《こずえ》に発射するとき
暗い林の入口にひとりただずむものは
四角な若い樺《かば》の木で
Green Dwarf　という品種
日光のために燃え尽きそうになりながら
燃えきらず青くけむるその木
羽虫は一疋《ぴき》ずつ光り
鞍掛《くらかけ》や銀の錯乱《さくらん》

（寛政十一年は百二十年前です）
そらの魚の涎《よだれ》はふりかかり
天末線《スカイライン》の恐ろしさ

東岩手火山

東岩手火山

月は水銀、後夜《ごや》の喪主《もしゅ》
火山礫《れき》は夜《よる》の沈澱《ちんでん》
火口の巨《おお》きなえぐりを見ては
たれもみんな愕《おどろ》くはずだ
　（風としずけさ）
いま漂着《ひょうちゃく》する薬師《やくし》外輪山《がいりんざん》
頂上の石標もある
　（月光は水銀、月光は水銀）
⦅こんなことはじつにまれです
向こうの黒い山……って、それですか
それはここのつづきです
ここのつづきの外輪山です
あすこのてっぺんが絶頂です

向こうの？
向こうのは御室《おむろ》火口です
これから外輪山をめぐるのですけれども
いまはまだなんにも見えませんから
もすこし明るくなってからにしましょう
ええ　太陽が出なくても
あかるくなって
西岩手火山のほうの火口湖やなにか
見えるようにさえなればいいんです
お日さまはあすこらへんで拝みます》
　黒い絶頂の右肩と
そのときのまっ赤《か》な太陽
わたくしは見ている
あんまり真赤な幻想の太陽だ
《いまなん時です
三時四十分？
ちょうど一時間
いや四十分ありますから

寒いひとは提灯《ちょうちん》でも持って
この岩のかげに居てください》
　ああ、暗い雲の海だ
《向こうの黒いのはたしかに早池峰《はやちね》です
線になって浮きあがってるのは北上《きたかみ》山地です
　うしろ？
　あれですか、
あれは雲です、柔《やわ》らかそうですね、
雲が駒《こま》ヶ岳《たけ》に被《かぶ》さったのです
水蒸気を含んだ風が
駒ヶ岳にぶっつかって
上にあがり、
あんなに雲になったのです。
鳥海山《ちょうかいさん》は見えないようです、
けれども
夜が明けたら見えるかもしれませんよ》
　《柔《やわら》かな雲の波だ
　　あんな大きなうねりなら

月光会社《げっこう》の五千噸《トン》の汽船も
動揺《どうよう》を感じはしないだろう
その質は
蛋白石《たんぱくせき》、glass-wool
あるいは水酸化礬土《ばんど》の沈澱《ちんでん》)
《じっさいこんなことは稀《まれ》なのです
わたくしはもう十何べんも来ていますが
こんなにしずかで
そして暖かなことはなかったのです
麓《ふもと》の谷の底よりも
さっきの九合の小屋よりも
却《かえ》って暖かなくらいです
今夜のようなしずかな晩は
つめたい空気は下へ沈んで
霜《しも》さえ降らせ
暖い空気は
上に浮んで来るのです
これが気温の逆転です》

御室《おむろ》火口の盛《も》りあがりは
月のあかりに照らされているのか
それともおれたちの提灯《ちょうちん》のあかりか
提灯だというのは勿体《もったい》ない
　ひわいろで暗い
《それではもう四十分ばかり
寄り合って待っておいでなさい
そうそう、北はこっちです
北斗《ほくと》七星は
いま山の下の方に落ちていますが
北斗星はあれです
それは小熊《こぐま》座という
あの七つの中なのです
それから向こうに
縦《たて》に三つならんだ星が見えましょう
下には斜めに房《ふさ》が下ったようになり
右と左とには
赤と青と大きな星がありましょう

あれはオリオンです、オライオンです
あの房の下のあたりに
星雲があるというのです
いま見えません
その下のは大犬のアルファ
冬の晩いちばん光って目立《めだ》つやつです
夏の蝎《さそり》とうら表《おもて》です
さあみなさん、ご勝手におあるきなさい
向こうの白いのですか
雪じゃありません
けれども行ってごらんなさい
まだ一時間もありますから
私もスケッチをとります》
はてな、わたくしの帳面の
書いた分がたった三枚になっている
事によると月光のいたずらだ
藤原が提灯を見せている
ああ頁《ページ》が折れ込《こ》んだのだ

さあでは私はひとり行こう
外輪山《がいりんざん》の自然な美しい歩道の上を
月の半分は赤銅《しゃくどう》、地球照《アースシャイン》
《お月さまには黒い処《ところ》もある》
《後藤又兵衛《ごとうまたべえ》いっつも拝んだづなす》
私のひとりごとの反響《はんきょう》に
小田島治衛《はるえ》が云《い》っている
《山中鹿之助《しかのすけ》だろう》
もうかまわない、歩いていい
　どっちにしてもそれは善《い》いことだ
二十五日の月のあかりに照らされて
薬師火口の外輪山をあるくとき
わたくしは地球の華族《かぞく》である
蛋白石《たんぱくせき》の雲は遥《はるか》にたたえ
オリオン、金牛《きんぎゅう》、もろもろの星座
澄《す》み切り澄みわたって
瞬《また》きさえもすくなく
わたくしの額《ひたい》の上にかがやき

そうだ、オリオンの右肩から
ほんとうに鋼青《こうじょう》の壮麗《そうれい》が
ふるえて私にやって来る

三つの提灯《ちょうちん》は夢の火口原の
白いとこまで降りている
《雪ですか、雪じゃないでしょう》
困ったように返事しているのは
雪でなく、仙人草《せんにんそう》のくさむらなのだ
そうでなければ高陵土《カオリンゲル》
残りの一つの提灯は
一升のところに停っている
それはきっと河村慶助が
外套《がいとう》の袖《そで》にぼんやり手を引っ込《こ》めている
《御室《おむろ》の方の火口へでもお入りなさい
噴火口へでも入ってごらんなさい
硫黄《いおう》のつぶは拾えないでしょうが》
斯《こ》んなによく声がとどくのは

メガホーンもしかけてあるのだ
しばらく躊躇《ちゅうちょ》しているようだ
《先生　中さ入《はい》ってもいがべすか》
《ええ、おはいりなさい　大丈夫《だいじょうぶ》です》
提灯《ちょうちん》が三つ沈んでしまう
そのでこぼこのまっ黒の線
すこしのかなしさ
けれどもこれはいったいなんというういいことだ
大きな帽子《ぼうし》をかぶり
ちぎれた繻子《しゅす》のマントを着て
薬師《やくし》火口の外輪山《がいりんざん》の
しずかな月明を行くというのは

この石標は
下向《げこう》の道と書いてあるにそういない
火口のなかから提灯が出て来た
宮沢の声もきこえる
雲の海のはてはだんだん平らになる

それは一つの雲平線《うんぴょうせん》をつくるのだ
雲平線をつくるのだというのは
月のひかりのひだりから
みぎへすばやく擦過《さっか》した
一つの夜の幻覚《げんかく》だ
いま火《か》口原《こうげん》の中に
一点しろく光るもの
わたくしを呼んでいる呼んでいるのか
私は気《き》圏《けん》オペラの役者です
鉛筆のさやは光り
速《すみや》かに指の黒い影はうごき
脣《くちびる》を円《まる》くして立っている私は
たしかに気圏オペラの役者です
また月光と火山塊《かい》のかげ
向こうの黒い巨《おお》きな壁は
熔岩《ようがん》か集塊岩《しゅうかいがん》、力強い肩だ
とにかく夜があけてお鉢廻《はちまわ》りのときは
あすこからこっちへ出て来るのだ

なまぬるい風だ
これが気温の逆転だ
（つかれているな、
　わたしはやっぱり睡《ねむ》いのだ）
火山弾《だん》には黒い影
その妙好《みようこう》の火口丘《かこうきゆう》には
幾条かの軌道《きどう》のあと
鳥の声！
鳥の声！
海抜《かいばつ》六千八百尺《しやく》の
月明をかける鳥の声、
鳥はいよいよしっかりとなき
私はゆっくりと踏み
月はいま二つに見える
やっぱり疲《つか》れからの乱視《らんし》なのだ
かすかに光る火山塊《かざんかい》の一つの面
オリオンは幻怪《げんかい》

月のまわりは熟した瑪瑙《めのう》と葡萄《ぶどう》
あくびと月光の動転《どうてん》
　（あんまりはねあるぐなぢゃい
　汝《うな》ひとりだらいがべぁ
　子供等《わらしやど》も連れでて目にあえば
　汝《うな》ひとりでぁすまないんだぢゃい）
火口丘の上には天の川の小さな爆発《ばくはつ》
みんなのデカンショの声も聞える
月のその銀の角《つの》のはじが
潰《つぶ》れてすこし円《まる》くなる
天の海とオーパルの雲
あたたかい空気は
ふっと撚《より》になって飛ばされて来る
きっと屈折率《くっせつりつ》も低く
濃《こ》い蔗糖溶液《しょとうようえき》に
また水を加えたようなのだろう
東は淀《よど》み
提灯《ちょうちん》はもとの火口の上に立つ

また口笛《くちぶえ》を吹いている
わたくしも戻《もど》る
わたくしの影を見たのか提灯《ちょうちん》も戻る
（その影は鉄いろの背景の
　ひとりの修羅《しゅら》に見える筈《はず》だ）
そう考えたのは間違《まちが》いらしい
とにかくあくびと影ぼうし
空のあの辺の星は微《かす》かな散点《さんてん》
すなわち空の模様がちがっている
そして今度は月が塞《ちぢ》まる。

（犬、マサニエロ等）

犬

なぜ吠《ほ》えるのだ、二疋《ひき》とも
吠えてこっちへかけてくる
（夜明けのひのきは心象のそら）
頭を下げることは犬の常套《じょうとう》だ
尾をふることはこわくない
それだのに
なぜそう本気に吠えるのだ
その薄明《はくめい》の二疋の犬
一ぴきは灰色錫《すず》
一ぴきの尾は茶の草穂《くさぼ》
うしろへまわってうなっている
わたくしの歩きかたは不正でない
それは犬の中の狼《おおかみ》のキメラがこわいのと

もひとつはさしつかえないため
犬は薄明《はくめい》に溶解《ようかい》する
うなりの尖端《さき》にはエレキもある
いつもあるくのになぜ吠《ほ》えるのだ
ちゃんと顔を見せてやれ
ちゃんと顔を見せてやれと
誰《たれ》かとならんであるきながら
犬が吠えたときに云《い》いたい
帽子《ぼうし》があんまり大きくて
おまけに下を向いてあるいてきたので
吠え出したのだ

マサニエロ

城のすすきの波の上には
伊太利亜《イタリア》製の空間がある
そこで烏《からす》の群《むれ》が踊る
白雲母《しろうんも》のくもの幾きれ
（濠《ほり》と橄欖《かんらん》天蚕絨《びろうど》、杉）
ぐみの木かそんなにひかってゆするもの
七つの銀のすすきの穂
（お城の下の桐《きり》畑でも、ゆれているゆれているゆれている、桐が）
赤い蓼《たで》の花もうごく
すずめ　すずめ
ゆっくり杉に飛んで稲にはいる
そこはどての陰で気流もないので
そんなにゆっくり飛べるのだ

（なんだか風と悲しさのために胸がつまる）
ひとの名前をなんべんも
風のなかで繰り返してさしつかえないか
（もうみんな鍬《くわ》や縄《なわ》をもち
　崖《がけ》をおりてきていいころだ）
いまは鳥のないしずかなそらに
またからすが横からはいる
屋根は矩《く》形《けい》で傾斜《けいしゃ》白くひかり
こどもがふたりかけて行く
羽織《はおり》をかざしてかける日本の子供ら
こんどは茶いろの雀《すずめ》どもの抛物線《ほうぶつせん》
金属製の桑《くわ》のこっちを
もひとりこどもがゆっくり行く
蘆《あし》の穂は赤い赤い
　（ロシヤだよ、チェホフだよ）
はこやなぎ　しっかりゆれろゆれろ
　（ロシヤだよ　ロシヤだよ）
烏《からす》がもいちど飛びあがる

稀硫酸《きりゅうさん》の中の亜鉛屑《あえんくず》は鳥のむれ
お城の上のそらはこんどは支那《しな》のそら
烏三疋《びき》杉をすべり
四疋になって旋転《せんてん》する

栗鼠《りす》と色鉛筆

樺《かば》の向こうで日はけむる
つめたい露《つゆ》でレールはすべる
靴革《くつかわ》の料理のためにレールはすべる
朝のレールを栗鼠は横切る
横切るとしてたちどまる
尾は der Herbst
　日はまっしろにけむりだし
栗鼠は走りだす
　水そばの苹果緑《アップルグリン》と石竹《ピンク》
たれか三角やまの草を刈《か》った
ずいぶんうまくきれいに刈った
緑いろのサラアブレッド
　日は白金《はくきん》をくすぼらし

一れつ黒い杉の槍《やり》
その早池峰《はやちね》と薬師岳《やくしだけ》との雲環《うんかん》は
古い壁画のきららから
再生してきて浮きだしたのだ
　色鉛筆がほしいって
ステッドラアのみじかいペンか
ステッドラアのならいいんだが
来月にしてもらいたいな
まああの山と上の雲との模様を見ろ
よく熟していてうまいから

無声慟哭

永《えい》訣《けつ》の朝

きょうのうちに
とおくへいってしまうわたくしのいもうとよ
みぞれがふっておもてはへんにあかるいのだ
（あめゆじゅとてちてけんじゃ）　※1
うすあかくいっそう陰惨《いんざん》な雲から
みぞれはびちょびちょふってくる
（あめゆじゅとてちてけんじゃ）
青い蓴菜《じゅんさい》のもようのついた
これらふたつのかけた陶椀《とうわん》に
おまえがたべるあめゆきをとろうとして
わたくしはまがったてっぽうだまのように
このくらいみぞれのなかに飛びだした
（あめゆじゅとてちてけんじゃ）

蒼鉛《そうえん》いろの暗い雲から
みぞれはびちょびちょ沈んでくる
ああとし子
死ぬといういまごろになって
わたくしをいっしょうあかるくするために
こんなさっぱりした雪のひとわんを
おまえはわたくしにたのんだのだ
ありがとうわたくしのけなげないもうとよ
わたくしもまっすぐにすすんでいくから
（あめゆじゅとてちてけんじゃ）
はげしいはげしい熱やあえぎのあいだから
おまえはわたくしにたのんだのだ
　銀河や太陽、気圏《きけん》などとよばれたせかいの
そらからおちた雪のさいごのひとわんを……
…ふたきれのみかげせきざいに
みぞれはさびしくたまっている
わたくしはそのうえにあぶなくたち
雪と水とのまっしろな二相系《にそうけい》をたもち

すきとおるつめたい雫《しずく》にみちた
このつややかな松のえだから
わたくしのやさしいいもうとの
さいごのたべものをもらっていこう
わたしたちがいっしょにそだってきたあいだ
みなれたちゃわんのこの藍《あい》のもようにも
もうきょうおまえはわかれてしまう
（Ora Orade Shitori egumo）　※2
ほんとうにきょうおまえはわかれてしまう
あああのとざされた病室の
くらいびょうぶやかやのなかに
やさしくあおじろく燃えている
わたくしのけなげないもうとよ
この雪はどこをえらぼうにも
あんまりどこもまっしろなのだ
あんなおそろしいみだれたそらから
このうつくしい雪がきたのだ
　（うまれでくるたて

こんどはこたにわりゃのごとばかりで
　くるしまなぁよにうまれてくる）　※3
おまえがたべるこのふたわんのゆきに
わたくしはいまこころからいのる
どうかこれが天上のアイスクリームになって
やがてはおまえとみんなとに
聖《きよ》い資糧《しりよう》をもたらすことを
わたくしのすべてのさいわいをかけてねがう

松の針

さっきのみぞれをとってきた
あのきれいな松のえだだよ
おお　おまえはまるでとびつくように
そのみどりの葉にあつい頰《ほほ》をあてる
そんな植物性の青い針のなかに
はげしく頰を刺《さ》させることは
むさぼるようにさえすることは
どんなにわたくしたちをおどろかすことか
そんなにまでもおまえは林へ行きたかったのだ
おまえがあんなにねつに燃され
あせやいたみでもだえているとき
わたくしは日のてるとこでたのしくはたらいたり
ほかのひとのことをかんがえながら森をあるいていた

《ああいぃ　さっぱりした
　まるで林のながさ来たよだ》　※4
鳥のように栗鼠《りす》のように
おまえは林をしたっていた
どんなにわたくしがうらやましかったろう
ああきょうのうちにとおくへさろうとするいもうとよ
ほんとうにおまえはひとりでいこうとするか
わたくしにいっしょに行けとたのんでくれ
泣いてわたくしにそう言ってくれ
　おまえの頬の　けれども
なんというきょうのうつくしさよ
わたくしは緑のかやのうえにも
この新鮮な松のえだをおこう
いまに雫《しずく》もおちるだろうし
そら
さわやかな
terpentine《ターペンテイン》の匂《におい》もするだろう

無声慟哭《どうこく》

こんなにみんなにみまもられながら
おまえはまだここでくるしまなければならないか
ああ巨《おお》きな信のちからからことさらにはなれ
また純粋やちいさな徳性のかずをうしない
わたくしが青ぐらい修羅《しゅら》をあるいているとき
おまえはじぶんにさだめられたみちを
ひとりさびしく往《い》こうとするか
信仰《しんこう》を一つにするたったひとりのみちづれのわたくしが
あかるくつめたい精進《しょうじん》のみちからかなしくつかれていて
毒草や蛍光菌《けいこうきん》のくらい野原をただようとき
おまえはひとりどこへ行こうとするのだ
（おら、おっかないふうしてらべ）　※5
何というあきらめたような悲痛なわらいようをしながら

またわたくしのどんなちいさな表情も
けっして見遁《みのが》さないようにしながら
おまえはけなげに母に訊《き》くのだ
（うんにゃ　ずいぶん立派だぢゃい
　きょうはほんとに立派だぢゃい）
ほんとうにそうだ
髪《かみ》だっていっそうくろいし
まるでこどもの苹果《りんご》の頬《ほほ》だ
どうかきれいな頬をして
あたらしく天にうまれてくれ
《それでもからだくさえがべ？》※6
《うんにゃ　いっこう》
ほんとうにそんなことはない
かえってここはなつののはらの
ちいさな白い花の匂《におい》でいっぱいだから
ただわたくしはそれをいま言えないのだ
（わたくしは修羅をあるいているのだから）
わたくしのかなしそうな眼《め》をしているのは

わたくしのふたつのこころをみつめているためだ
ああそんなに
かなしく眼《め》をそらしてはいけない

註
※1　あめゆきとってきてください
※2　あたしはあたしでひとりいきます
※3　またひとにうまれてくるときは
こんなにじぶんのことばかりで
くるしまないようにうまれてきます
※4　ああいい　さっぱりした
まるではやしのなかにきたようだ
※5　あたしこわいふうをしてるでしょう
※6　それでもわるいにおいでしょう

風林

（かしわのなかには鳥の巣がない
　あんまりがさがさ鳴るためだ）
ここは艸《くさ》があんまり粗《あら》く
とおいそらから空気をすい
おもいきり倒れるにてきしない
そこに水いろによこたわり
一列生徒らがやすんでいる
　（かげはよると亜鉛《あえん》とから合成される）
それをうしろに
わたくしはこの草にからだを投げる
月はいましだいに銀のアトムをうしない
かしわはせなかをくろくかがめる
柳沢の杉はなつかしくコロイドよりも

ぼうずの沼森《ぬまもり》のむこうには
騎《き》兵聯隊《へいれんたい》の灯も澱《よど》んでいる
《ああおらはあど死んでもい》
《おらも死んでもい》
　（それはしょんぼりたっている宮沢か
　そうでなければ小田島国友
　　向こうの柏木立《かしわこだち》のうしろの闇《やみ》が
　きらきらっといま顫《ふる》えたのは
　Egmont Overture にちがいない
たれがそんなことを云《い》ったかは
　わたくしはむしろかんがえないでいい）
《伝《でん》さん　しゃっつ何枚、三枚着たの》
せいの高くひとのいい佐藤伝四郎は
月光の反照《はんしょう》のにぶいたそがれのなかに
しゃつのぼたんをはめながら
きっと口をまげてわらっている
降ってくるものはよるの微塵《みじん》や風のかけら
よこに鉛の針になってながれるものは月光のにぶ

《ほお　おら……》
言いかけてなぜ堀田はやめるのか
おしまいの声もさびしく反響《はんきょう》しているし
そういうことはいえばいい
（言わないなら手帳へ書くのだ）
とし子とし子
野原へ来れば
また風の中に立てば
きっとおまえをおもいだす
おまえはその巨《おお》きな木星のうえに居るのか
鋼青壮麗《こうじょうそうれい》のそらのむこう
（ああけれどもそのどこかも知れない空間で
光の紐《ひも》やオーケストラがほんとうにあるのか
………此処《こご》ぁ日《ひ》ぁ永《な》ぁがくて
一日《いちにち》のうちの何時《いづ》だがもわがらなぃで……
ただひときれのおまえからの通信が
いつか汽車のなかでわたくしにとどいただけだ）
とし子　わたくしは高く呼んでみようか

《手凍《かげ》えだ》
《手凍えだ？
　俊夫ゆぐ凍ぇるな
　こなぃだもボダンおれさ掛《か》げらせだぢゃぃ》
俊夫というのはどっちだろう　川村だろうか
あの青ざめた喜劇の天才「植物医師」の一役者
わたくしははね起きなければならない
《おお　俊夫てどっちの俊夫》
《川村》
やっぱりそうだ
月光は柏《かしわ》のむれをうきたたせ
かしわはいちめんさらさらと鳴る

白い鳥

《みんなサラーブレッドだ
　ああいう馬　誰《たれ》行っても押《おさ》えるにいがべが》
《よっぽどなれたひとでないと》
古風なくらかけやまのした
おきなぐさの冠毛《かんもう》がそよぎ
鮮《あざや》かな青い樺《かば》の木のしたに
何匹《びき》かあつまる茶いろの馬
じつにすてきに光っている
　（日本絵巻のそらの群青《ぐんじょう》や
　天末《てんまつ》の turquois《タコイス》 はめずらしくないが
　　あんな大きな心相の
　　光の環《かん》は風景の中にすくない）
二疋《ひき》の大きな白い鳥が

鋭くかなしく啼《な》きかわしながら
しめった朝の日光を飛んでいる
それはわたくしのいもうとだ
死んだわたくしのいもうとだ
兄が来たのであんなにかなしく啼いている
（それは一応はまちがいだけれども
　まったくまちがいとは言われない）
あんなにかなしく啼きながら
朝のひかりをとんでいる
（あさの日光ではなくて
　熟してつかれたひるすぎらしい）
けれどもそれも夜どおしあるいてきたための
vague《バーグ》な銀の錯覚《さつかく》なので
（ちゃんと今朝あのひしげて融《と》けた金《キン》の液体が
　青い夢の北上《きたかみ》山地からのぼったのをわたくしは見た）
どうしてそれらの鳥は二羽
そんなにかなしくきこえるか
それはじぶんにすくうちからをうしなったとき

わたくしのいもうとをもうしなった
そのかなしみによるのだが
（ゆうべは柏《かしわ》ばやしの月あかりのなか
けさはすずらんの花のむらがりのなかで
なんべんわたくしはその名を呼び
またたれともわからない声が
人のない野原のはてからこたえてきて
わたくしを嘲笑《ちようしよう》したことか）
そのかなしみによるのだが
またほんとうにあの声もかなしいのだ
いま鳥は二羽、かがやいて白くひるがえり
むこうの湿地、青い蘆のなかに降りる
降りようとしてまたのぼる
（日本武尊《やまとたけるのみこと》の新らしい御陵の前に
おきさきたちがうちふして嘆き
そこからたまたま千鳥が飛べば
それを尊《みこと》のみたまとおもい
蘆に足をも傷つけながら

海べをしたって行かれたのだ）
清原がわらって立っている
（日に灼《や》けて光っているほんとうの農村のこども
その菩薩《ぼさつ》ふうのあたまの容《かたち》はガンダーラから来た）
水が光る　きれいな銀の水だ
《さああすこに水があるよ
口をすすいでさっぱりして往《い》こう
こんなきれいな野はらだから》

オホーツク挽歌

青森挽歌《ばんか》

こんなやみよののはらのなかをゆくときは
客車のまどはみんな水族館の窓になる
（乾《かわ》いたでんしんばしらの列が
　せわしく遷《うつ》っているらしい
　きしゃは銀河系の玲瓏《れいろう》レンズ
　巨《おお》きな水素のりんごのなかをかけている）
りんごのなかをはしっている
けれどもここはいったいどこの停車場《ていしゃば》だ
枕木《まくらぎ》を焼いてこさえた柵《さく》が立ち
（八月の　よるのしずまの　寒天凝膠《アガアアゼル》）
支手のあるいちれつの柱は
なつかしい陰影《いんえい》だけでできている
黄いろなランプがふたつ点《つ》き

せいたかくあおじろい駅長の
真鍮《しんちゅう》棒もみえなければ
じつは駅長のかげもないのだ
（その大学の昆虫《こんちゅう》学の助手は
　こんな車室いっぱいの液体のなかで
　油のない赤髪《あかけ》をもじゃもじゃして
　かばんにもたれて睡《ねむ》っている）
わたくしの汽車は北へ走っているはずなのに
ここではみなみへかけている
焼杭《やけぐい》の柵《さく》はあちこち倒れ
はるかに黄いろの地平線
それはビーアの澱《おり》をよどませ
あやしいよるの　陽炎《かげろう》と
さびしい心意の明滅《めいめつ》にまぎれ
水いろ川の水いろ駅
　（おそろしいあの水いろの空虚なのだ）
汽車の逆行は希求《ききゅう》の同時な相反性《そうはんせい》
こんなさびしい幻想《げんそう》から

わたくしははやく浮《うか》びあがらなければならない
そこらは青い孔雀《くじやく》のはねでいっぱい
真鍮《しんちゆう》の睡《ねむ》そうな脂肪酸《しぼうさん》にみち
車室の五つの電燈《でんとう》は
いよいよつめたく液化され
（考えださなければならないことを
　わたくしはいたみやつかれから
　なるべくおもいだそうとしない）
今日のひるすぎなら
けわしく光る雲のしたで
まったくおれたちはあの重い赤いポンプを
ばかのように引っぱったりついたりした
おれはその黄いろな服を着た隊長だ
だから睡いのはしかたない
（おお《オー》おまえ《ヅウ》　せわしい《アイリーガー》みちづれ《ゲゼルレ》よ
どうかここから《アイレドツホニヒト》急いで《フオン》去《デヤ》らないで《ステルレ》くれ
《尋常《じんじよう》一年生　ドイツの尋常一年生》
いきなりそんな悪い叫《さけ》びを

投げつけるのはいったいたれだ
けれども尋常一年生だ
夜中を過ぎたいまごろに
こんなにぱっちり眼《め》をあくのは
ドイツの尋常一年生だ）
あいつはこんなさびしい停車場《ていしゃば》を
たったひとりで通っていったろうか
どこへ行くともわからないその方向を
どの種類の世界へはいるともしれないそのみちを
たったひとりでさびしくあるいて行ったろうか
（草や沼やです
一本の木もです）
《ギルちゃんまっさおになってすわっていたよ》
《こおんなにして眼は大きくあいてたけど
ぼくたちのことはまるでみえないようだったよ》
《ナーガラがね　眼をじっとこんなに赤くして
だんだん環《わ》をちいさくしたよ　こんなに》
《し、環をお切り　そら　手を出して》

《ギルちゃん青くてすきとおるようだったよ》
《鳥がね、たくさんたねまきのときのように
ばあっと空を通ったの
でもギルちゃんだまっていたよ》
《お日さまあんまり変に飴《あめ》いろだったわねえ》
《ギルちゃんちっともぼくたちのことみないんだもの
ぼくほんとうにつらかった》
《さっきおもだかのとこであんまりはしゃいでたねえ》
《どうしてギルちゃんぼくたちのことみなかったろう
忘れたろうかあんなにいっしょにあそんだのに》
かんがえださなければならないことは
どうしてもかんがえださなければならない
とし子はみんなが死ぬとなづける
そのやりかたを通って行き
それからさきどこへ行ったかわからない
それはおれたちの空間の方向ではかられない
感ぜられない方向を感じようとするときは
たれだってみんなぐるぐるする

《耳ごうど鳴ってさっぱり聞けなぐなったんちゃい》
そう甘《あま》えるように言ってから
たしかにあいつはじぶんのまわりの
眼《め》にははっきりみえている
なつかしいひとたちの声をきかなかった
にわかに呼吸がとまり脈がうたなくなり
それからわたくしがはしって行ったとき
あのきれいな眼が
なにかを索《もと》めるように空《むな》しくうごいていた
それはもうわたくしたちの空間を二度と見なかった
それからあとであいつはなにを感じたろう
それはまだおれたちの世界の幻視《げんし》をみ
おれたちのせかいの幻聴《げんちょう》をきいたろう
わたくしがその耳もとで
遠いところから声をとってきて
そらや愛やりんごや風、すべての勢力《エネルギ》のたのしい根源
万象同帰《ばんしょうどうき》のそのいみじい生物の名を
ちからいっぱいちからいっぱい叫んだとき

あいつは二へんうなずくように息をした
白い尖《とが》ったあごや頰《ほほ》がゆすれて
ちいさいときよくおどけたときにしたような
あんな偶然《ぐうぜん》な顔つきにみえた
けれどもたしかにうなずいた
《ヘッケル博士！
　わたくしがそのありがたい証明の
　　任にあたってもよろしゅうございます》
　仮睡硅酸《かすいけいさん》の雲のなかから
凍《こお》らすようなあんな卑怯《ひきょう》な叫び声は……
（宗谷海峡《そうやかいきょう》を越える晩は
　わたくしは夜どおし甲板《かんぱん》に立ち
あたまは具《そな》えなく陰湿《いんしつ》の霧《きり》をかぶり
からだはけがれたねがいにみたし
　そしてわたくしはほんとうに挑戦《ちょうせん》しよう）
たしかにあのときはうなずいたのだ
そしてあんなにつぎのあさまで
胸がほとっていたくらいだから

わたくしたちが死んだといって泣いたあと
とし子はまだまだこの世かいのからだを感じ
ねつやいたみをはなれたほのかなねむりのなかで
ここでみるようなゆめをみていたかもしれない
そしてわたくしはそれらのしずかな夢幻が
つぎのせかいへつづくため
明るいいい匂《におい》のするものだったことを
どんなにねがうかわからない
ほんとうにその夢の中のひとくさりは
かん護とかなしみとにつかれて睡《ねむ》っていた
おしげ子たちのあけがたのなかに
ぼんやりとしてはいってきた
《黄いろな花こ　おらもとるべがな》
たしかにとし子はあのあけがたは
まだこの世かいのゆめのなかにいて
落葉の風につみかさねられた
野はらをひとりあるきながら
ほかのひとのことのようにつぶやいていたのだ

そしてそのままさびしい林のなかの
いっぴきの鳥になっただろうか
l'estudiantina を風にききながら
水のながれる暗いはやしのなかを
かなしくうたって飛んで行ったろうか
やがてはそこに小さなプロペラのように
音をたてて飛んできたあたらしいともだちと
無心のとりのうたをうたいながら
たよりなくさまよって行ったろうか

わたくしはどうしてもそう思わない

なぜ通信が許されないのか
許されている、そして私のうけとった通信は
母が夏のかん病のよるにゆめみたとおなじだ
どうしてわたくしはそうなのをそうと思わないのだろう
それらひとのせかいのゆめはうすれ
あかつきの薔薇《ばら》いろをそらにかんじ
あたらしくさわやかな感官をかんじ
日光のなかのけむりのような羅《うすもの》をかんじ

かがやいてほのかにわらいながら
はなやかな雲やつめたいにおいのあいだを
交錯《こうさく》するひかりの棒を過《よ》ぎり
われらが上方とよぶその不可思議《ふかしぎ》な方角へ
それが　そのようであることにおどろきながら
大循環《だいじゅんかん》の風よりもさわやかにのぼって行った
わたくしはその跡《あと》をさえたずねることができる
そこに碧《あお》い寂《しず》かな湖水の面をのぞみ
あまりにもそのたいらかさとかがやきと
未知な全反射の方法と
さめざめとひかりゆすれる樹《き》の列を
ただしくうつすことをあやしみ
やがてはそれがおのずから研《みが》かれた
天の瑠璃《るり》の地面と知ってこころわななき
紐《ひも》になってながれるそらの楽音
また瓔珞《ようらく》やあやしいうすものをつけ
移らずしかもしずかにゆききする
巨《おお》きなすあしの生物たち

遠いほのかな記憶のなかの花のかおり
それらのなかにしずかに立ったろうか
それともおれたちの声を聴《き》かないのち
暗紅色の深くもわるいがらん洞《どう》と
意識ある蛋白質《たんぱくしつ》の砕《くだ》けるときにあげる声
亜硫酸《ありゅうさん》や笑気《しょうき》のにおい
これらをそこに見るならば
あいつはその中にまっ青《さお》になって立ち
立っているともよろめいているともわからず
頬《ほほ》に手をあててゆめそのもののように立ち
(わたくしがいまごろこんなものを感ずることが
いったいほんとうのことだろうか
わたくしというものがこんなものをみることが
いったいありうることだろうか
そしてほんとうにみているのだ) と
斯《こ》ういってひとりなげくかもしれない……
わたくしのこんなさびしい考《かんがえ》は
みんなよるのためにでるのだ

夜があけて海岸へかかるなら
そして波がきらきら光るなら
なにもかもみんないいかもしれない
けれどもとし子の死んだことならば
いまわたくしがそれを夢でないと考えて
あたらしくぎくっとしなければならないほどの
あんまりひどいげんじつなのだ
感ずることのあまり新鮮にすぎるとき
それをがいねん化することは
きちがいにならないための
生物体の一つの自衛《じえい》作用だけれども
いつでもまもってばかりいてはいけない
ほんとうにあいつはここの感官をうしなったのち
あらたにどんなからだを得《え》
どんな感官をかんじただろう
なんべんこれをかんがえたことか
むかしからの多数の実験から
倶舎《くしゃ》がさっきのように云《い》うのだ

二度とこれをくり返してはいけない
おもては軟玉《なんぎよく》と銀のモナド
半月の噴《ふ》いた瓦斯《ガス》でいっぱいだ
巻積雲《けんせきうん》のはらわたまで
月のあかりはしみわたり
それはあやしい蛍光板《けいこうばん》になって
いよいよあやしい苹果《りんご》の匂《におい》を発散し
なめらかにつめたい窓硝子《ガラス》さえ越えてくる
青森だからというのではなく
大ていの月がこんなような暁《あかつき》ちかく
巻積雲にはいるとき……
《おいおい、あの顔いろは少し青かったよ》

だまっていろ
おれのいもうとの死顔《しにがお》が
まっ青《さお》だろうが黒かろうが
きさまにどう斯《こ》う云《い》われるか
あいつはどこへ堕《お》ちようと
もう無上道《むじようどう》に属している

力にみちてそこを進むものは
どの空間にでも勇んでとびこんで行くのだ
じきもう東の鋼《はがね》もひかる
ほんとうにきょうの…きのうのひるまなら
おれたちはあの重い赤いポンプを…
　《もひとつきかせてあげよう
　　ね　じっさいね
　あのときの眼《め》は白かったよ
　すぐ瞑《つぶ》りかねていたよ》
まだいっているのか
もうじきよるはあけるのに
すべてあるがごとくにあり
かがやくごとくにかがやくもの
おまえの武器やあらゆるものは
おまえにくらくおそろしく
まことはたのしくあかるいのだ
　《みんなむかしからのきょうだいなのだから
　けっしてひとりをいのってはいけない》

ああ　わたくしはけっしてそうしませんでした
あいつがなくなってからあとのよるひる
わたくしはただの一どたりと
あいつだけがいいとこに行けばいいと
そういのりはしなかったとおもいます

オホーツク挽歌《ばんか》

海面は朝の炭酸のためにすっかり銹《さ》びた
緑青《ろくしよう》のところもあれば藍銅鉱《アズライト》のところもある
むこうの波のちぢれたあたりはずいぶんひどい瑠璃液《るりえき》だ
チモシイの穂がこんなにみじかくなって
かわるがわるかぜにふかれている
（それは青いいろのピアノの鍵《けん》で
　かわるがわる風に押されている）
あるいはみじかい変種だろう
しずくのなかに朝顔が咲いている
モーニンググローリのそのグローリ
　いまさっきの曠原風《こうげん》の荷馬車がくる
　年老《としと》った白い重挽馬《じゅうばんば》は首を垂れ
　またこの男のひとのよさは

わたくしがさっきあのがらんとした町かどで
浜のいちばん賑《にぎ》やかなとこはどこですかときいた時
そっちだろう、向こうには行ったことがないからと
そう云《い》ったことでもよくわかる
いまわたくしを親切なよこ目でみて
（その小さなレンズには
たしか樺太《からふと》の白い雲もうつっている）
朝顔よりはむしろ牡丹《ピオネア》のようにみえる
おおきなはまばらの花だ
まっ赤《か》な朝のはまなすの花です
ああこれらのするどい花のにおいは
もうどうしても　妖精《ようせい》のしわざだ
無数の藍《あい》いろの蝶《ちょう》をもたらし
またちいさな黄金《きん》の槍《やり》の穂
軟玉《なんぎょく》の花瓶《かびん》や青い簾《すだれ》
それにあんまり雲がひかるので
たのしく激しいめまぐるしさ
馬のひづめの痕《あと》が二つずつ

ぬれて寂《しず》まった褐砂《かっさ》の上についている
もちろん馬だけ行ったのではない
広い荷馬車のわだちは
こんなに淡いひとつづり

波の来たあとの白い細い線に
小さな蚊《か》が三疋《びき》さまよい
またほのぼのと吹きとばされ
貝殻《かいがら》のいじらしくも白いかけら
萱草《かやくさ》の青い花軸《かじく》が半分砂に埋もれ
波はよせるし砂を巻くし

白い片岩《へんがん》類の小《こ》砂利《じゃり》に倒れ
波できれいにみがかれた
ひときれの貝殻《かいがら》を口に含み
わたくしはしばらくねむろうとおもう
なぜならさっきあの熟した黒い実のついた
まっ青なこけももの上等の敷物《カーペット》と

おおきな赤いはまばらの花と
不思議な釣鐘草《ブリーベル》とのなかで
サガレンの朝の妖精《ようせい》にやった
透明なわたくしのエネルギーを
いまこれらの濤《なみ》のおとや
しめったにおいのいい風や
雲のひかりから恢復《かいふく》しなければならないから
それにだいいちいまわたくしの心象は
つかれのためにすっかり青ざめて
眩《まば》ゆい緑金にさえなっているのだ
日射しや幾重《いくえ》の暗いそらからは
あやしい鑵鼓《かんこ》の蕩音さえする

わびしい草穂《くさぼ》やひかりのもや
緑青《ろくしょう》は水平線までうららかに延び
雲の累帯《るいたい》構造のつぎ目から
一きれのぞく天の青

強くもわたくしの胸は刺《さ》されている
それらの二つの青いいろは
どちらもとし子のもっていた特性だ
わたくしが樺太《からふと》のひとのない海岸を
ひとり歩いたり疲れて睡《ねむ》ったりしているとき
とし子はあの青いところのはてにいて
なにをしているのかわからない
とど松やえぞ松の荒《すさ》んだ幹や枝が
ごちゃごちゃ漂《ただよ》い置かれたその向こうで
波はなんべんも巻いている
その巻くために砂が湧《わ》き
潮水はさびしく濁っている
（十一時十五分、その蒼《あお》じろく光る盤面《ダイアル》）
鳥は雲のこっちを上下する
ここから今朝舟《ふね》が滑《すべ》って行ったのだ
砂に刻《きざ》まれたその船底の痕《あと》と
巨《おお》きな横の台木のくぼみ
それはひとつの曲った十字架だ

幾本かの小さな木片で
HELLと書きそれをLOVEとなおし
ひとつの十字架をたてることは
よくたれでもがやる技術なので
とし子がそれをならべたとき
わたくしはつめたくわらった
　（貝がひときれ砂にうずもれ
　　白いそのふちばかり出ている）
ようやく乾《かわ》いたばかりのこまかな砂が
この十字架の刻《きざ》みのなかをながれ
いまはもうどんどん流れている
海がこんなに青いのに
わたくしがまだとし子のことを考えていると
なぜおまえはそんなにひとりばかりの妹を
悼《いた》んでいるかと遠いひとびとの表情が言い
またわたくしのなかでいう
　（Casual observer! Superficial traveler!）
空があんまり光ればかえってがらんと暗くみえ

いまするどい羽をした三羽の鳥が飛んでくる
あんなにかなしく啼《な》きだした
なにかしらせをもってきたのか
わたくしの片っ方のあたまは痛く
遠くなった栄浜の屋根はひらめき
鳥はただ一羽硝子笛《ガラスぶえ》を吹いて
玉髄《ぎよくずい》の雲に漂《ただよ》っていく
町やはとばのきらきらかさ
その背のなだらかな丘陵《きゆうりよう》の鴇《とき》いろは
いちめんのやなぎらんの花だ
爽《さわ》やかな苹果青《りんごせい》の草地と
黒緑とどまつの列
　（ナモサダルマプフンダリカサスートラ）
五匹《ひき》のちいさないそしぎが
海の巻いてくるときは
よちよちとはせて遁《に》げ
　（ナモサダルマプフンダリカサスートラ）
浪《なみ》がたいらにひくときは

砂の鏡のうえを
よちよちとはせてでる

樺太《からふと》鉄道

やなぎらんやあかつめくさの群落
松脂岩《しょうしがん》薄片のけむりがただよい
鈴谷山脈《すすやさんみやく》は光霧《こうむ》か雲かわからない
（灼《や》かれた馴鹿《となかい》の黒い頭骨は
　線路のよこの赤砂利《あかじゃり》に
　ごく敬虔《けいけん》に置かれている）

そっと見てごらんなさい
やなぎが青くしげってふるえています
　きっとポラリスやなぎですよ
おお満艦飾《まんかんしょく》のこのえぞにゅうの花
月光いろのかんざしは
すなおなコロボックルのです
　（ナモサダルマプフンダリカサスートラ）

Van't Hoff の雲の白髪の崇高《すうこう》さ
崖《がけ》にならぶものは聖白樺《セントベチユラアルバ》

青びかり野はらをよぎる細流
それはツンドラを截《き》り
　（光るのは電しんばしらの碍子《がいし》）
夕陽《ゆうひ》にすかし出されると
その緑金の草の葉に
ごく精巧《せいこう》ないちいちの葉脈
　（樺《かば》の微動《びどう》のうつくしさ）
黒い木柵《もくさく》も設けられて
やなぎらんの光の点綴《てんてい》
　（ここいらの樺の木は
　焼けた野原から生えたので
　みんな大乗風《だいじょうふう》の考《かんがえ》をもっている）
にせものの大乗居士《こじ》どもをみんな灼《や》け
太陽もすこし青ざめて
山脈の縮れた白い雲の上にかかり

列車の窓の稜《かど》のひとところが
プリズムになって日光を反射し
草地に投げられたスペクトル
（雲はさっきからゆっくり流れている）
日さえまもなくかくされる
かくされる前には感応により
かくされた後には威神力《いじんりき》により
まばゆい白金環《はくきんかん》ができるのだ
（ナモサダルマプフンダリカサスートラ）
たしかに日はいま羊毛の雲にはいろうとして
サガレンの八月のすきとおった空気を
ようやく葡萄《ぶどう》の果汁《マスト》のように
またフレップスのように甘《あま》くはっこうさせるのだ
そのためにえぞにゅうの花が一そう明るく見え
松毛虫に食われて枯れたその大きな山に
桃いろな日光もそそぎ
すべて天上技師 Nature 氏の
ごく斬新《ざんしん》な設計だ

山の襞《ひだ》のひとつのかげは
緑青《ろくしょう》のゴーシュ四辺形
そのいみじい玲瓏《トランスリューセント》のなかに
からすが飛ぶと見えるのは
一本のごくせいの高いとどまつの
風に削《けず》り残された黒い梢《こずえ》だ
　　（ナモサダルマプフンダリカサスートラ）
結晶片岩山地では
燃えあがる雲の銅粉
　　　（向こうが燃えればもえるほど
　　　ここらの樺《かば》ややなぎは暗くなる）
こんなすてきな瑪瑙《めのう》の天蓋《キャノピー》
その下ではぼろぼろの火雲が燃えて
一きれはもう練金の過程を了《お》え
いまにも結婚しそうにみえる
　（濁ってしずまる天の青らむ一かけら）
いちめんいちめん海蒼《かいそう》のチモシイ
めぐるものは神経質の色丹松《ラーチ》

またえぞにゅうと桃花心木《マホガニー》の柵《さく》
こんなに青い白樺《しらかば》の間に
鉋《かんな》をかけた立派なうちをたてたので
これはおれのうちだぞと
その顔の赤い愉快《ゆかい》な百姓《ひやくしよう》が
井上と少しびっこに大きく壁に書いたのだ

鈴谷《すずや》平原

蜂《はち》が一ぴき飛んで行く
琥珀細工《こはくざいく》の春の器械
蒼《あお》い眼《め》をしたすがるです
　（私のとこへあらわれたその蜂は
　ちゃんと抛物線《ほうぶつせん》の図式にしたがい
　さびしい未知へとんでいった）
チモシイの穂が青くたのしくゆれている
それはたのしくゆれているといったところで
荘厳《そうごん》ミサや雲環《うんかん》とおなじように
うれいや悲しみに対立するものではない
だから新らしい蜂がまた一疋《ぴき》飛んできて
ぼくのまわりをとびめぐり
また茨《いばら》や灌木《かんぼく》にひっかかれた

わたしのすあしを刺《さ》すのです
こんなうるんで秋の雲のとぶ日
鈴谷平野の荒《すさ》んだ山際《やまぎわ》の焼け跡《あと》に
わたくしはこんなにたのしくすわっている
ほんとうにそれらの焼けたとどまつが
まっすぐに天に立って加奈太《カナダ》式に風にゆれ
また夢よりもたかくのびた白樺《しらかば》が
青ぞらにわずかの新葉をつけ
風の三稜玻璃《さんりょうはり》にもまれ
　（うしろの方はまっ青ですよ
　クリスマスツリーに使いたいような
　あおいまつ青いとどまつが
　いっぱいに生えているのです）
いちめんのやなぎらんの群落が
光ともやの紫いろの花をつけ
遠くから近くからけむっている
　（さわしぎも啼《な》いている
　たしかさわしぎの発動機だ）

こんやはもう標本をいっぱいもって
わたくしは宗谷海峡《そうやかいきよう》をわたる
だから風の音が汽車のようだ
流れるものは二条の茶
蛇《へび》ではなくて一ぴきの栗鼠《りす》
いぶかしそうにこっちをみる
（こんどは風が
みんなのがやがやしたはなし声にきこえ
うしろの遠い山の下からは
好摩《こうま》の冬の青ぞらから落ちてきたような
すきとおった大きなせきばらいがする
これはサガレンの古くからの誰《たれ》かだ）

噴火湾（ノクターン）

稚《わか》いえんどうの澱粉《でんぷん》や緑金が
どこから来てこんなに照らすのか
（車室は軋《きし》みわたくしはつかれて睡《ねむ》っている）
とし子は大きく眼《め》をあいて
烈《はげ》しい薔薇《ばら》いろの火に燃されながら
（あの七月の高い熱……）
鳥が棲《す》み空気の水のような林のことを考えていた
（かんがえていたのか
　いまかんがえているのか）
車室の軋りは二疋《ひき》の栗鼠《りす》
《ことしは勤めにそとへ出ていないひとは
　みんなかわるがわる林へ行こう》
赤銅《しゃくどう》の半月刀《はんげつとう》を腰にさげて

どこかの生意気なアラビヤ酋長《しゆうちよう》が言う
七月末のそのころに
思い余ったようにとし子が言った
《おらあど死んでもいぃはんて
　あの林の中さ行ぐだぃ
　うごいで熱は高ぐなっても
　あの林の中でだらほんとに死んでもいぃはんて》
鳥のように栗鼠《りす》のように
そんなにさわやかな林を恋い
（栗鼠の軋《きし》りは水車の夜明け
　大きなくるみの木のしただ）
一千九百二十三年の
とし子はやさしく眼《め》をみひらいて
透明薔薇《とうめいばら》の身熱から
青い林をかんがえている
ファゴットの声が前方にし
Funeral march があやしくいままたはじまり出す
（車室の軋りはかなしみの二疋《ひき》の栗鼠）

《栗鼠お魚たべあんすのすか》
（二等室のガラスは霜《しも》のもよう）
もう明けがたに遠くない
崖《がけ》の木や草も明らかに見え
車室の軋りもいつかかすれ
一ぴきのちいさなちいさな白い蛾《が》が
天井のあかしのあたりを這《は》っている
（車室の軋りは天の楽音）
噴火湾のこの黎明《れいめい》の水明り
室蘭《むろらん》通いの汽船には
二つの赤い灯がともり
東の天末《てんまつ》は濁った孔雀《くじゃく》石の縞《しま》
黒く立つものは樺《かば》の木と楊《やなぎ》の木
駒《こま》ヶ岳《たけ》駒ヶ岳
暗い金属の雲をかぶって立っている
そのまっくらな雲のなかに
とし子がかくされているかもしれない
ああ何べん理智が教えても

私のさびしさはなおらない
わたくしの感じないちがった空間に
いままでここにあった現象がうつる
それはあんまりさびしいことだ
（そのさびしいものを死というのだ）
たとえそのちがったきらびやかな空間で
とし子がしずかにわらおうと
わたくしのかなしみにいじけた感情は
どうしてもどこかにかくされたとし子をおもう

風景とオルゴール

不《ふ》貪《とん》慾《よく》戒《かい》

油紙を着てぬれた馬に乗り
つめたい風景のなか、暗い森のかげや
ゆるやかな環状削剝《かんじょうしょうはく》の丘、赤い萱《かや》の穂のあいだを
ゆっくりあるくということもいいし
黒い多面角の洋傘《こうもりがさ》をひろげ
砂砂《すなさ》糖《とう》を買いに町へ出ることも
ごく新鮮な企画である
　　（ちらけろちらけろ　四十雀《しじゅうから》）
粗《そ》剛《ごう》なオリザサティヴァという植物の人工群落が
タアナアさえもほしがりそうな
上等のさらどの色になっていることは
慈《じ》雲尊者《うんそんじゃ》にしたがえば
不貪慾戒のすがたです

（ちらけろちらけろ　四十雀
　そのときの高等遊民は
　いましっかりした執政官《しっせいかん》だ）
ことことと寂《さび》しさを噴《ふ》く暗い山に
防火線のひらめく灰いろなども
慈雲尊者にしたがえば
不貪慾戒のすがたです

雲とはんのき

雲は羊毛とちぢれ
黒緑赤楊《はん》のモザイック
またなかぞらには氷片の雲がうかび
すすきはきらっと光って過《よ》ぎる
《北ぞらのちぢれ羊から
　おれの崇敬《すうけい》は照り返され
　天の海と窓の日おおい
　おれの崇敬は照り返され》
沼はきれいに鉋《かんな》をかけられ
朧《おぼ》ろな秋の水ゾルと
つめたくぬるぬるした蓴菜《じゅんさい》とから組成され
ゆうべ一晩の雨でできた
陶庵《とうあん》だか東庵だかの蒔絵《まきえ》の

精製された水銀の川です
アマルガムにさえならなかったら
銀の水車でもまわしていい
無細工《ぶさいく》な銀の水車でもまわしていい
（赤紙をはられた火薬車だ
あたまの奥ではもうまっ白に爆発《ばくはつ》している）
無細工の銀の水車でもまわすがいい
カフカズ風に帽子《ぼうし》を折ってかぶるもの
感官のさびしい盈虚《えいきょ》のなかで
貨物車輪の裏の秋の明るさ
（ひのきのひらめく六月に
おまえが刻《きざ》んだその線は
やがてどんな重荷になって
おまえに男らしい償《つぐな》いを強いるかわからない）
手宮《てみや》文字です　手宮文字です
こんなにそらがくもって来て
山も大へん尖《とが》って青くくらくなり
豆畑だってほんとうにかなしいのに

わずかにその山稜《さんりょう》と雲との間には
あやしい光の微塵《みじん》にみちた
幻惑《げんわく》の天がのぞき
またそのなかにはかがやきまばゆい積雲《せきうん》の一列が
こころも遠くならんでいる
これら葬送《そうそう》行進曲の層雲の底
鳥もわたらない清澄《せいちょう》な空間を
わたくしはたったひとり
つぎからつぎと冷たいあやしい幻想《げんそう》を抱きながら
一挺《ちょう》のかなづちを持って
南の方へ石灰岩のいい層を
さがしに行かなければなりません

宗教風の恋

がさがさした稲もやさしい油緑《ゆりよく》に熟し
西ならあんな暗い立派な霧《きり》でいっぱい
草穂《くさぼ》はいちめん風で波立っているのに
可哀《かあい》そうなおまえの弱いあたまは
くらくらするまで青く乱れ
いまに太田武か誰《たれ》かのように
眼《め》のふちもぐちゃぐちゃになってしまう
ほんとうにそんな偏《かたよ》って尖《とが》った心の動きかたのくせ
なぜこんなにすきとおってきれいな気層《きそう》のなかから
燃えて暗いなやましいものをつかまえるか
信仰でしか得られないものを
なぜ人間の中でしっかり捕えようとするか
風はどうどう空で鳴ってるし

東京の避難者たちは半分脳膜炎《のうまくえん》になって
いまでもまいにち遁《に》げて来るのに
どうしておまえはそんな医《いや》される筈《はず》のないかなしみを
わざとあかるいそらからとるか
いまはもうそうしているときでない
けれども悪いとかいいとか云《い》うのではない
あんまりおまえがひどかろうとおもうので
みかねてわたしはいっているのだ
さあなみだをふいてきちんとたて
もうそんな宗教風の恋をしてはいけない
そこはちょうど両方の空間が二重になっているとこで
おれたちのような初心のものに
居られる場処《ばしょ》では決してない

風景とオルゴール

爽《さわや》かなくだもののにおいに充《み》ち
つめたくされた銀製の薄明穹《はくめいきゅう》を
雲がどんどんかけている
黒曜《こくよう》ひのきやサイプレスの中を
一疋《ぴき》の馬がゆっくりやってくる
ひとりの農夫が乗っている
もちろん農夫はからだ半分ぐらい
木《こ》だちやそこらの銀のアトムに溶《と》け
またじぶんでも溶けてもいいとおもいながら
あたまの大きな曖昧《あいまい》な馬といっしょにゆっくりくる
首を垂れておとなしくがさがさした南部《なんぶ》馬
黒く巨《おお》きな松倉《まつくら》山のこっちに
一点のダアリア複合体

その電燈《でんとう》の企画《プラン》なら
じつに九月の宝石である
その電燈の献策《けんさく》者に
わたくしは青い蕃茄《トマト》を贈る
どんなにこれらのぬれたみちや
クレオソートを塗ったばかりのらんかんや
電線も二本にせものの虚無《きよむ》のなかから光っているし
風景が深く透明《とうめい》にされたかわからない
下では水がごうごう流れて行き
薄明穹《はくめいきゅう》の爽《さわや》かな銀と苹果《りんご》とを
黒白鳥のむな毛の塊《かたまり》が奔《はし》り

　《ああ　お月さまが出ています》

ほんとうに鋭《するど》い秋の粉や
玻璃末《はりまつ》の雲の稜《かど》に磨《みが》かれて
紫磨銀彩《しまぎんさい》に尖《とが》って光る六日の月
橋のらんかんには雨粒《あまつぶ》がまだいっぱいついている
なんというこのなつかしさの湧《わき》あがり
水はおとなしい膠朧体《こうろうたい》だし

わたくしはこんな過透明《かとうめい》な景色のなかに
松倉山《まつくらやま》や五間森《ごけんもり》荒っぽい石英安山岩《デサイト》の岩頸《がんけい》から
放たれた剽悍《ひょうかん》な刺客に
暗殺されてもいいのです
　（たしかにわたくしがその木をきったのだから）
　　（杉のいただきは黒くそらの椀《わん》を刺し）
風が口笛《くちぶえ》をはんぶんちぎって持ってくれば
　（気の毒な二重感覚の機関）
わたくしは古い印度《インド》の青草をみる
崖《がけ》にぶっつかるそのへんの水は
葱《ねぎ》のように横に外《そ》れている
そんなに風はうまく吹き
半月の表面はきれいに吹きはらわれた
だからわたくしの洋傘は
しばらくぱたぱた言ってから
ぬれた橋板に倒れたのだ
松倉山松倉山尖ってまっ暗な悪魔《あくま》蒼鉛《そうえん》の空に立ち
電燈はよほど熟している

風がもうこれっきり吹けば
まさしく吹いて来る劫《カルパ》のはじめの風
ひときれそらにうかぶ暁《あかつき》のモティーフ
電線と恐ろしい玉髄《キャルセドニ》の雲のきれ
そこから見当のつかない大きな青い星がうかぶ
　（何べんの恋の償《つぐな》いだ）
そんな恐ろしいがまいろの雲と
わたくしの上着はひるがえり
　（オルゴールをかけろかけろ）
月はいきなり二つになり
盲《めし》いた黒い暈《かさ》をつくって光面を過ぎる雲の一群
　（しずまれしずまれ五間森《ごけんもり》
　　木をきられてもしずまるのだ）

風の偏倚《へんい》

風が偏倚して過ぎたあとでは
クレオソートを塗ったばかりの電柱や
逞《たくま》しくも起伏する暗黒山稜《あんこくさんりょう》や
（虚空《こくう》は古めかしい月汞《げっこう》にみち）
研《と》ぎ澄《す》まされた天河《てんが》石天盤《せきてんばん》の半月
すべてこんなに錯綜《さくそう》した雲やそらの景観が
すきとおって巨大な過去になる
五日の月はさらに小さく副生し
意識のように移って行くちぎれた蛋白彩《たんぱくさい》の雲
月の尖端《せんたん》をかすめて過ぎれば
そのまん中の厚いところは黒いのです
（風と嘆息《たんそく》との中にあらゆる世界の因子《いんし》がある）
きららかにきらびやかにみだれて飛ぶ断雲と

星雲のようにうごかない天盤附《てんばんふ》属《ぞく》の氷片の雲
（それはつめたい虹《にじ》をあげ）
いま硅酸《けいさん》の雲の大部が行き過ぎようとするために
みちはなんべんもくらくなり
（月あかりがこんなにみちにふると
　まえにはよく硫黄《いおう》のにおいがのぼったのだが
　いまはその小さな硫黄の粒《つぶ》も
　風や酸素に溶《と》かされてしまった）
じつに空は底のしれない洗いがけの虚空《こくう》で
月は水銀を塗られたでこぼこの噴火口からできている
（山もはやしもきょうはひじょうに峻儼《しゅんげん》だ）
どんどん雲は月のおもてを研《と》いで飛んでゆく
ひるまのはげしくすさまじい雨が
微塵《みじん》からなにからすっかりとってしまったのだ
月の彎曲《わんきょく》の内側から
白いあやしい気体が噴《ふ》かれ
そのために却《かえ》って一きれの雲がとかされて
（杉の列はみんな黒真珠《くろしんじゅ》の保護色）

そらそら、B氏のやったあの虹の交錯《こうさく》や顫《ふる》いと
苹果《りんご》の未熟なハロウとが
あやしく天を覆《おお》いだす
杉の列には山烏《やまがらす》がいっぱいに潜《ひそ》み
ペガススのあたりに立っていた
いま雲は一せいに散兵《さんぺい》をしき
極《きわ》めて堅実にすすんで行く
おお私のうしろの松倉《まつくら》山には
用意された一万の硅化流紋凝灰岩《けいかりゅうもんぎょうかいがん》の弾塊《だんかい》があり
川尻《かわじり》断層のときから息を殺してまっていて
私が腕時計を光らし過ぎれば落ちてくる
空気の透明度《とうめいど》は水よりも強く
松倉山から生えた木は
敬虔《けいけん》に天に祈っている
辛《かろ》うじて赤いすすきの穂がゆらぎ
（どうしてどうして松倉山の木は
ひどくひどく風にあらびているのだ
あのごとごというのがみんなそれだ）

呼吸のように月光はまた明るくなり
雲の遷色《せんしょく》とダムを超《こ》える水の音
わたしの帽子《ぼうし》の静寂《せいじゃく》と風の塊《かたまり》
いまくらくなり電車の単線ばかりまっすぐにのび
　レールとみちの粘土の可塑性《かそせい》
月はこの変厄《へんやく》のあいだ不思議な黄いろになっている

昴《すばる》

沈んだ月夜の楊《やなぎ》の木の梢《こずえ》に
二つの星が逆《さか》さまにかかる
（昴がそらでそう云《い》っている）
オリオンの幻怪《げんかい》と青い電燈《でんとう》
また農婦のよろこびの
たくましくも赤い頬《ほほ》
風は吹く吹く、松は一本立ち
山を下る電車の奔《はし》り
もし車の外に立ったらはねとばされる
山へ行って木をきったものは
どうしても帰るときは肩身《かたみ》がせまい
（ああもろもろの徳は善逝《スガタ》から来て
そしてスガタにいたるのです）

腕を組み暗い貨物電車の壁による少年よ
この籠《かご》で今朝　鶏《にわとり》を持って行ったのに
それが売れてこんどは持って戻らないのか
そのまっ青《さお》な夜のそば畑のうつくしさ
電燈《でんとう》に照らされたそばの畑を見たことがありますか
市民諸君よ
おおきょうだい、これはおまえの感情だな
市民諸君よなんてふざけたものの云《い》いようをするな
東京はいま生きるか死ぬかの堺《さかい》なのだ
見たまえこの電車だって
軌道《きどう》から青い火花をあげ
もう蝎《さそり》かドラゴかもわからず
一心に走っているのだ
　　（豆ばたけのその喪神《そうしん》のあざやかさ）
どうしてもこの貨物車の壁はあぶない
わたくしが壁といっしょにここらあたりで
投げだされて死ぬことはあり得過ぎる
金をもっているひとは金があてにならない

からだの丈夫《じようぶ》なひとはごろっとやられる
あたまのいいものはあたまが弱い
あてにするものはみんなあてにならない
ただもろもろの徳ばかりこの巨《おお》きな旅の資糧《しりよう》で
そしてそれらもろもろの徳性は
善逝《スガタ》から来て善逝《スガタ》に至る

第四梯形《ていけい》

青い抱擁衝動《ほうようしようどう》や
明るい雨の中のみたされない唇《くちびる》が
きれいにそらに溶《と》けてゆく
日本の九月の気圏《きけん》です
そらは霜《しも》の織物をつくり
萱《かや》の穂の満潮《まんちよう》
　（三角山《さんかくやま》はひかりにかすれ）
あやしいそらのバリカンは
白い雲からおりて来て
早くも七つ森第一梯形の
松と雑木《ぞうぎ》を刈《か》りおとし
　野原がうめばちそうや山羊《やぎ》の乳や
沃度《ヨード》の匂《におい》で荒れて大へんかなしいとき

　　　汽車の進行ははやくなり
　　　　ぬれた赤い崖《がけ》や何かといっしょに
七つ森第二梯形の
新鮮《しんせん》な地被《ちひ》が刈り払われ
手帳のように青い卓状台地《テーブルランド》は
まひるの夢をくすぼらし
ラテライトのひどい崖から
梯形第三のすさまじい羊歯《しだ》や
こならやさるとりいばらが滑《すべ》り
　　　（おお第一の紺青《こんじょう》の寂寥《せきりょう》）
縮れて雲はぎらぎら光り
とんぼは萱の花のように飛んでいる
　　　（萱の穂は満潮
　　　　萱の穂は満潮）
一本さびしく赤く燃える栗《くり》の木から
七つ森の第四伯林青《べるりんせい》スロープは
やまなしの匂の雲に起伏し
すこし日射しのくらむひまに

そらのバリカンがそれを刈《か》る
（腐植土《ふしょくど》のみちと天の石墨《せきぼく》）
夜風太郎の配下《はいか》と子孫とは
大きな帽子《ぼうし》を風にうねらせ
落葉松のせわしい足なみを
しきりに馬を急がせるうちに
早くも第六梯形《ていけい》の暗いリパライトは
ハックニーのように刈られてしまい
ななめに琥珀《こはく》の陽《ひ》も射《さ》して
《とうとうぼくは一つ勘定《かんじょう》をまちがえた
第四か第五かをうまくそらからごまかされた》
どうして決して、そんなことはない
いまきらめきだすその真鍮《しんちゅう》の畑の一片から
明暗交錯《こうさく》のむこうにひそむものは
まさしく第七梯形の
雲に浮んだその最後のものだ
緑青《ろくしょう》を吐《は》く松のむさくるしさと
ちぢれて悼《いた》む　雲の羊毛《ようもう》

（三角《さんかく》やまはひかりにかすれ）

火薬と紙幣《しへい》

萱《かや》の穂は赤くならび
雲はカシュガル産の苹果《りんご》の果肉よりもつめたい
鳥は一ぺんに飛びあがって
ラッグの音譜をばら撒《ま》きだ
　古枕木《まくらぎ》を灼《や》いてこさえた
　黒い保線小屋の秋の中では
四面体聚形《しゅうけい》の一人の工夫が
米国風のブリキの缶《かん》で
　たしかメリケン粉を捏《こ》ねている
鳥はまた一つまみ、空からばら撒《ま》かれ
一ぺんつめたい雲の下で展開し
こんどは巧《たくみ》に引力の法則をつかって
遠いギリヤークの電線にあつまる

赤い碍子《がいし》のうえにいる
そのきのどくなすずめども
口笛《くちぶえ》を吹きまた新らしい濃い空気を吸えば
　たれでもみんなきのどくになる
森はどれも群青《ぐんじょう》に泣いているし
松林なら地被《ちひ》もところどころ剝《は》げて
酸性土壌ももう十月になったのだ
　　私の着物もすっかり thread-bare
その陰影《いんえい》のなかから
　逞《たく》ましい向こうの土方がくしゃみをする
氷河が海にはいるように
白い雲のたくさんの流れは
枯れた野原に注いでいる
　　だからわたくしのふだん決して見ない
　　小さな三角の前山なども
　はっきり白く浮いてでる
栗《くり》の梢《こずえ》のモザイックと
鉄葉細工《ぶりきざいく》のやなぎの葉

水のそばでは堅《かた》い黄いろなまるめろが
枝も裂《さ》けるまで実っている
（こんどばら撒《ま》いてしまったら……
ふん、ちょうど四十雀《しじゅうから》のように）
雲が縮れてぎらぎら光るとき
大きな帽子《ぼうし》をかぶって
野原をおおびらにあるけたら
おれはそのほかにもうなんにもいらない
火薬も燐《りん》も大きな紙幣《しへい》もほしくない

過去情炎《じようえん》

截《き》られた根から青じろい樹液《じゆえき》がにじみ
あたらしい腐植《ふしよく》のにおいを嗅《か》ぎながら
きらびやかな雨あがりの中にはたらけば
わたくしは移住の清教徒《ピユリタン》です
雲はぐらぐらゆれて馳《か》けるし
梨《なし》の葉にはいちいち精巧《せいこう》な葉脈があって
短果枝《たんかし》には雫《しずく》がレンズになり
そらや木やすべての景象《けいしよう》をおさめている
わたくしがここを環《わ》に掘ってしまうあいだ
その雫が落ちないことをねがう
なぜならいまこのちいさなアカシヤをとったあとで
わたくしは鄭重《ていちよう》にかがんでそれに唇《くちびる》をあてる
えりおりのシャツやぼろぼろの上着をきて

企《たく》らむように肩をはりながら
そっちをぬすみみていれば
ひじょうな悪漢《わるもの》にもみえようが
わたくしはゆるされるとおもう
なにもかもみんなたよりなく
なにもかもみんなあてにならない
これらげんしょうのせかいのなかで
そのたよりない性質が
こんなきれいな露《つゆ》になったり
いじけたちいさなまゆみの木を
紅《べに》からやさしい月光いろまで
豪奢《ごうしゃ》な織物に染めたりする
そんならもうアカシヤの木もほりとられたし
いまはまんぞくしてとうぐわをおき
わたくしは待っていたこいびとにあうように
鷹揚《おうよう》にわらってその木のしたへゆくのだけれども
それはひとつの情炎《じょうえん》だ
もう水いろの過去になっている

一本木野《いっぽんぎの》

松がいきなり明るくなって
のはらがぱっとひらければ
かぎりなくかぎりなくかれくさは日に燃え
電信ばしらはやさしく白い碍子《がいし》をつらね
ベーリング市までつづくとおもわれる
すみわたる海蒼《かいそう》の天と
きよめられるひとのねがい
からまつはふたたびわかやいで萌《も》え
幻聴《げんちょう》の透明《とうめい》なひばり
七時雨《ななしぐれ》の青い起伏《きふく》は
また心象のなかにも起伏し
ひとむらのやなぎ木立《こだち》は
ボルガのきしのそのやなぎ

天椀《てんわん》の孔雀《くじやく》石にひそまり
薬師《やくし》岱赭《たいしや》のきびしくするどいもりあがり
火口の雪は皺《しわ》ごと刻《きざ》み
くらかけのびんかんな稜《かど》は
青ぞらに星雲をあげる
　（おい　かしわ
　　てめいのあだなを
　　　やまのたばこの木っていうってのはほんとうか）
こんなあかるい穹窿《きゆうりゆう》と草を
はんにちゆっくりあるくことは
いったいなんといふおんけいだろう
わたくしはそれをはりつけとでもとりかえる
こいびととひとめみることでさえそうでないか
　（おい　やまのたばこの木
　　あんまりへんなおどりをやると
　　未来派《みらいは》だっていわれるぜ）
わたくしは森やのはらのこいびと
蘆《よし》のあいだをがさがさ行けば

つつましく折られたみどりいろの通信は
いつかぽけっとにはいっているし
はやしのくらいとこをあるいていると
三日月《みかづき》がたのくちびるのあとで
肱《ひじ》やずぼんがいっぱいになる

鎔岩流《ようがんりゅう》

喪神《そうしん》のしろいかがみが
薬師《やくし》火口《かこう》のいただきにかかり
日かげになった火山礫堆《かざんれきたい》の中腹から
畏《おそ》るべくかなしむべき砕塊熔岩《ブロックレーバ》の黒
わたくしはさっきの柏《かしわ》や松の野原をよぎるときから
なにかあかるい曠原《こうげん》風の情調を
ばらばらにするようなひどいけしきが
展《ひら》かれるとはおもっていた
けれどもここは空気も深い淵《ふち》になっていて
ごく強力な鬼神《きしん》たちの棲《す》みかだ
一ぴきの鳥さえも見えない
わたくしがあぶなくその一一《いちいち》の岩塊《ブロック》をふみ
すこしの小高いところにのぼり

さらにつくづくとこの焼石《やけいし》のひろがりをみわたせば
雪を越えてきたつめたい風はみねから吹き
雲はあらわれてつぎからつぎと消え
いちいちの火山塊《ブロック》の黒いかげ
貞享《じょうきょう》四年のちいさな噴火から
およそ二百三十五年のあいだに
空気のなかの酸素や炭酸瓦斯《ガス》
これら清冽《せいれつ》な試薬《しやく》によって
どれくらいの風化《ふうか》が行われ
どんな植物が生えたかを
見ようとして私《わたし》の来たのに対し
それは恐ろしい二種の苔《こけ》で答えた
その白っぽい厚いすぎごけの
表面がかさかさに乾《かわ》いているので
わたくしはまた麺麭《パン》ともかんがえ
ちょうどひるの食事をもたないとこから
ひじょうな饗応《きょうおう》ともかんずるのだが
（なぜならたべものというものは

それをみてよろこぶもので
　それからあとはたべるものだから）
ここらでそんなかんがえは
あんまり僭越《せんえつ》かもしれない
とにかくわたくしは荷物をおろし
灰いろの苔《こけ》に靴《くつ》やからだを埋め
一つの赤い苹果《りんご》をたべる
うるうるしながら苹果に噛《か》みつけば
雪を越えてきたつめたい風はみねから吹き
野はらの白樺《しらかば》の葉は紅《べに》や金《キン》やせわしくゆすれ
北上山地《きたかみ》はほのかな幾層の青い縞《しま》をつくる
　（あれがぼくのしゃつだ
　青いリンネルの農民シャツだ）

イーハトブの氷霧《ひょうむ》

けさはじつにはじめての凜々《りり》しい氷霧だったから
みんなはまるめろやなにかまで出して歓迎《かんげい》した

冬と銀河ステーション

そらにはちりのように小鳥がとび
かげろうや青いギリシャ文字は
せわしく野はらの雪に燃えます
パッセン大街道のひのきからは
凍《こお》ったしずくが燦々《さんさん》と降り
銀河ステーションの遠方シグナルも
けさはまっ赤《か》に澱《よど》んでいます
川はどんどん氷《ザエ》を流しているのに
みんなは生《なま》ゴムの長靴《ながぐつ》をはき
狐《きつね》や犬の毛皮を着て
陶器《とうき》の露《ろ》店《てん》をひやかしたり
ぶらさがった章魚《たこ》を品さだめしたりする
あのにぎやかな土沢の冬の市日《いちび》です

（はんの木とまばゆい雲のアルコホル
あすこにやどりぎの黄金《きん》のゴールが
　さめざめとしてひかってもいい）
ああ　Josef Pasternack の指揮《しき》する
この冬の銀河軽便《けいべん》鉄道は
幾重《いくえ》のあえかな氷をくぐり
（でんしんばしらの赤い碍子《がいし》と松の森）
にせものの金のメタルをぶらさげて
茶いろの瞳《ひとみ》をりんと張り
つめたく青らむ天椀《てんわん》の下
うららかな雪の台地を急ぐもの
（窓のガラスの氷の羊歯《しだ》は
　だんだん白い湯気《ゆげ》にかわる）
パッセン大街道のひのきから
しずくは燃えていちめんに降り
はねあがる青い枝や
紅玉やトパースまたいろいろのスペクトルや
もうまるで市場のような盛《さか》んな取引です

〔初版本目次〕

〔本文との異同を含め初版本のままとした。異なる箇所に＊を付した。〕

目次

春と修羅

屈折率……（一九二二、一、六）……三
くらかけの雪……（一九二二、一、六）……四
日輪と太市……（一九二二、一、九）……五
丘の幻惑……（一九二二、一、一二）……六
カーバイト倉庫……（一九二二、一、一二）……八
コバルト山地……（一九二二、一、二二）……九
ぬすびと……（一九二二、三、二）……一〇
恋と病熱……（一九二、一三、二〇）……一一
春と修羅……《一九二二、四、八》……一二
春光呪咀……（一九二二、四、一〇）……一六
有明……（一九二二、四、一三）……一八
谷……（一九二二、四、二〇）……一九

陽ざしとかれくさ……（一九二二、四、二三）……二〇
雲の信号……（一九二二、五、一〇）……二二
風景……（一九二二、五、一二）……二三
習作……（一九二二、五、一四）……二四
休息……（一九二二、五、一四）……二七
おきなぐさ……（一九二二、五、一七）……三〇
かはばた……（一九二二、五、一七）……三一

真空溶媒

真空溶媒……《一九二二、五、一八》……三五
蠕虫舞手……（一九二二、五、二〇）……五六

小岩井農場

小岩井農場……（一九二二、五、二一）……六三

グランド電柱

林と思想……（一九二二、六、四）……一一七
霧とマッチ……（一九二二、六、四）……一一八＊
芝生……（一九二二、六、七）……一二一

東岩手火山
東岩手火山……（一九二二、九、一八）……一四九
犬……（一九二二、九、二七）……一六八
マサニエロ……（一九二二、一〇、一〇）……一七〇
栗鼠と色鉛筆……（一九二二、一〇、一五）……一七三
無声慟哭
永訣の朝……《一九二二、一一、二七》……一七九
松の針……《一九二二、一一、二七》……一八四
無声慟哭……《一九二二、一一、二七》……一八七
風林……（一九二三、六、三）……一九三
白い鳥……（一九二三、六、四）……一九八
オホーツク挽歌
青森挽歌……（一九二三、八、一）……二〇七
オホーツク挽歌……（一九二三、八、四）……二二八
樺太鉄道……（一九二三、八、四）……二三九
鈴谷平原……（一九二三、八、七）……二四五

噴火湾 ……（一九二三、八、一一）…… 二四九

風景とオルゴール

不貧慾戒 ……（一九二三、八、二八）…… 二五七
雲とはんのき ……（一九二三、八、三一）…… 二五九
宗教風の恋 ……（一九　三、九、一六）…… 二六三
風景とオルゴール ……（一九　三、九、一六）…… 二六五
風の偏倚 ……（一九二三、九、一六）…… 二七〇
昴 ……（一九二三、九、一六）…… 二七五
第四梯形 ……（一九二三、九、三〇）…… 二七八
火薬と紙幣 ……（一九二三、九、一〇）…… 二八三
過去情炎 ……（一九二三、一〇、一五）…… 九八七
一本木野 ……（一九二三、一〇、二八）…… 二九〇
鎔岩流 ……（一九二三、一〇、二八）…… 二九三
イーハトヴの氷霧* ……（一九二三、一一、二二）…… 二九八
冬と銀河鉄道** ……（一九二三、一二、一〇）…… 二九九

『春と修羅』補遺

手簡

雨がぽしゃぽしゃ降っています。
心象の明滅《めいめつ》をきれぎれに降る透明《とうめい》な雨です。
ぬれるのはすぎなやすいば、
ひのきの髪《かみ》は延び過ぎました。

私の胸腔《きょうこう》は暗くて熱く
もう醗酵《はっこう》をはじめたんじゃないかと思います。

雨にぬれた緑のどてのこっちを
ゴム引きの青泥いろのマントが
ゆっくりゆっくり行くというのは
実にこれはつらいことなのです。

あなたは今どこに居《お》られますか。
早くも私の右のこの黄ばんだ陰の空間に
まっすぐに立っていられますか。
雨も一層すきとおって強くなりましたし。
誰《たれ》か子供が嚙《か》んでいるのではありませんか。
向うではあの男が咽喉《のど》をぶつぶつ鳴らします。

いま私は廊下《ろうか》へ出ようと思います。
どうか十ぺんだけ一緒に往来して下さい。
その白びかりの巨《おお》きなすあしで
あすこのつめたい板を
私と一緒にふんで下さい。

（一九二二、五、一二）

〔小岩井農場　第五綴　第六綴〕

※※※※※※※　第五綴
鞍掛《くらかけ》が暗くそして非常に大きく見える
あんまり西に偏《かたよ》っている。
あの稜《かど》の所でいつか雪が光っていた。
あれはきっと
南昌山《なんしょうざん》や沼森の系統だ
決して岩手火山に属しない。
事によったらやっぱり
石英安山岩かもしれない。
これは私の発見ですと
私はいつか
汽車の中で
堀籠《ほりごめ》さんに云《い》っていた。

（東のコバルト山地にはあやしいほのおが燃えあがり
汽車のけむりのたえ間からまた白雲のたえまから
つめたい天の銀盤を喪神《そうしん》のように望んでいた。
その汽車の中なのだ。
　堀籠さんはわざと顔をしかめてたばこをくわいた。）
堀籠さんは温和《おとな》しい人なんだ。
あのまっすぐないい魂《たましい》を
おれは始終おどしてばかり居る。
烈《はげ》しい白びかりのようなものを
どしゃどしゃ投げつけてばかり居る。
こっちにそんな考《かんがえ》はない
まるっきり反対なんだが
いつでも結局そう云うことになる。
私がよくしようと思うこと
それがみんなあの人には
辛《つら》いことになっているらしい。
今日は日直《にっちょく》で学校に居る。
早く帰って会いたい。

いま私の担当箱の中のくらやみで
銀紙《ぎんがみ》のチョコレートが明滅している筈《はず》だ。
それは昨夜堀籠《ほりごめ》さんが、
うちへ
遊びに来ると思って
夏蜜柑《みかん》と一緒に買って置いたのだ。
けれどももちろん来なかった。
それはあんまり当然だ。
昨日の午后《ごご》街の青びかりの中で
お遊びにいらっしゃいませんか
と私は云《い》った。
その調子があんまり烈《はげ》しすぎたのだ。
堀籠さんは
だまって返事をしなかった。
お宜《よろ》しかったらと
おれはぶっきら棒につけたした。
あの人は少し顔色を変えて
きちっと口を結んでいた。

それは行こうと思ったのに
またそれを制限されたようにも思い
失望したようにも見えた。
けれども何だかわからない。
山の方は青黒くかすんで光るぞ。
それはそうだ、この五六日
ずいぶん私は物騒《ぶっそう》に見えたろう。
何もかもみんなぶち壊《こわ》し
何もかもみんなとりとめのないおれはあわれだ。
向こうの黒い松山が狼森《オイノ》だ。
実に新鮮で肥満《プランプ》だ。
たしかにそうだ。地図で見ると
もっと高いように思われるけれども
ただあれだけのことなのだ。
あれの右肩を通ると下り坂だ。
姥屋敷《うばやしき》の小学校が見えるだろう。
もう柳沢へ抜けるのもいやになった。
柳沢へ抜けて晩の九時の汽車に乗る。

十時に花巻へ着き
白く疲れて睡《ねむ》る、
つかれの白い波がわやわやとゆれ…
五時の汽車なら丁度《ちょうど》いい。
学校へ寄って着物を着かえる。
堀籠さんも奥寺さんもまだ教員室に居る。
錫紙《すずがみ》のチョコレートをもち出す。
けれどもみんながたべるだろうか。
それはたべるだろう、そんなときなら
私だって愉快《ゆかい》で笑わないではいられないし
それにチョコレートはきちんと、
新らしい錫紙で包んであるから安心だ。
しかしその五時の汽車は滝沢へよらない。
滝沢には一時にしか汽車がない、
もう帰ろうか。ここからすっと帰って
多分は三時頃盛岡へ着いて
待合室でさっきの本を読む。
いいや、つまらない。やっぱりおれには

こんな広い処《ところ》よりだめなんだ。
野原のほかでは私はいつもはばけている
やっぱり柳沢《やなぎざわ》へ出よう
こんな野原の陰惨《いんさん》な霧《きり》の中を
ガッシリした黒い肩をしたベートーフェンが
深く深くうなだれ又《また》ときどきひとり咆《ほ》えながら
どこまでもいつまでも歩いている。
その弟子《でし》たちがついて行く
暗い暗い霧の底なのだ。
今日はそうでない。
鞍掛山《くらかけやま》も光っている。
そこで一体この先に、たしかに
育牛部があったのだろうか。
こんな処を歩いたような気がしない。
杉がよく生えて
緩《ゆる》い坂みちになっている。
向こうから農婦たちが一むれやって来る。
実にきちんと身づくろっている。

みんなせいが高くまっすぐだ。
黒いきものも立派だし
白いかつぎも
よく農場の褐色や
林の藍《あい》と調和している。
本部か耕耘《こううん》部かには
よほどしっかりした技師が居るぞ。
そらがずいぶん重くなった。
けれどもまっ白に光っている。
耕耘部の方から西洋風の鐘《かね》が鳴る。
かすかだけれどもよく聞える。
もうみんな近くにやって来た。
聞いて見ようおれは時計を持たないのだ。
（あの鐘ぁ十二時すか。）
「はあそでごあんす。」
みんながしずかに答えている。
これではまるでオペラじゃないか。
動き出した彫像《ちょうぞう》というように

しずかにこっちを見やりながら
正しくみんな行き過ぎる。
鐘の方へ歩いて行く。
端正は希臘《ギリシヤ》に属し、時間のあかるさ。
もう育牛部の畜舎が見える。
牛は出ていない。
また畜舎の中に居るのかどうかもわからない。
から松の緑の列や畑の茶いろ。
しんとしている。
日光の底というものはいつでもしんとしたもんだ。

※※※※※※※※※　第六綴

みちが俄《にわ》かにぼんやりなった。
から松はあるし草はみじかいし
実に野原の模型《もけい》だけれども
姥屋敷《うばやしき》まで行く筈《はず》の
地図にもはっきり引いてある
このみちがこんな風では

何だかすこし頼りない。
尤《もっと》も方角さえきめて行けば
行けないこともないのだが
実は今日は少し気が急《せ》くのだ。
堀籠《ほりごめ》さんのことも
考えなければならないのだ。
向こうもはたけが掘られている。
白い笠《かさ》がその緩《ゆる》い傾斜をのぼって行く。
笠は光って立派だが
やっぱりこんな洋風の
農場の中では似合《にあ》わない。
然《しか》しあるいはあの人は
姥屋敷《うばやしき》へ行くのかも知れない。
そうじゃない働いてるのだ。
それに向こうの松林に
まだ狼《オイノ》森ではないだろうが
ずいぶん大きなみちがある。
あれさえ行ったら間違いない。

行って見よう。しかしどうだ、
そこの所に堰《せき》がある
やなぎがぽしゃぽしゃ生えている
そのせきの近く一二間《けん》だけ
きちんとみちができている
すこし変だ。どういう訳《わけ》だ。
どうせこいつも農場の
ほんの気《き》紛《まぐ》れ仕事なのだ。
一つはまあ目標にもなる。
とにかく渡れ、あの坂を登れ。

＊

かなりの松の密林だ。
傾斜《けいしゃ》もゆるいしほんの短い坂だけれども
仲々《なかなか》登るのは楽じゃない。
一昨夜からよく眠らないから
やっぱり疲れているのだ。
疲れのために私は一つの桶《おけ》を感ずる
この聯想《れんそう》は一体どうだ、

けれどもたしかにこの桶《おけ》は
まだ松やにの匂《におい》もし
新らしくてぼくぼくした小さな桶だ。
かなりの松の密林だ。
暗くていやに寂《さび》しいようだ。
雲がずいぶん低くなった。
ああよくあるやつだ　やっと登って
その向こうが又《また》丘で
松がぽしゃぽしゃ生えている。
しかし何だか面白くない。
みちが又ぼんやりなって
（草穂《くさぼ》もぼしゃぼしゃしているし、）
却《かえ》って向こうに立派なみちが
堤《つつみ》に沿って北へ這《は》って行く。
ほんとうのみちはあいつらしい
こっちは地図のこのみちだ。
赤坂のつづきのところへ出るんだ。
ひどく東へ行ってしまうんだ。

向こうの道へ行こうかな。
それもあんまりたしかでもない。
鞍掛《くらかけ》は光の向こうで見えないし
それに姥屋敷《うばやしき》ではきっと
犬が吠《ほ》えるぞ　吠えるぞ。
事によったら吠えないかな。
かれ草だ。何かパチパチ云《い》っている。
降って来たな。降って来た。
しかし雨の粒は見えない。
そらがぎんぎんするだけだ。
顔へも少しも落ちて来ない。
それでもパチパチ鳴っている。
草がからだを曲げている。
雨だ。たしかだ。やっぱりそうだ。
降り出したんだ。引っ返そう。
すっかりぬれて汽車に乗る。
教員室の青ぐろい空間
チョコレートと椅子《いす》

（私はどうしてこんなに
下等《かとう》になってしまったろう。
透明《とうめい》なもの　燃えるもの
息たえだえに気圏《きけん》のはてを
祈ってのぼって行くものは
いま私から　影を潜《ひそ》め）
五時半ごろは学校につく。
鬼越を越えて盛岡へ出ようかな。
いやいやっぱり早い方がいい
小岩井の停車場《ていしゃば》へ出るに限る。
さあ引っ返すぞ。こんどもやめだ
おおい柳沢《やなぎざわ》。
鞍掛も見えないがさようなら、
引っ返せ　引っ返せ
小松の密林
暗いし笹《ささ》だ。
けれども一寸雨《ちょっと》を避けようか。
笹がばりばり枯れている。

それに松ばやしには誘惑がいる
尤《もっと》も今ごろそんなものは何でもない。
何でもないが
やっぱり雨は漏《も》っている。
笹に座れば座れるんだが
雨避《よ》けにならなくては仕方ない。
何でもぐんぐん歩くにかぎる

〔堅《かた》い瓔《よう》珞《らく》はまっすぐに下に垂れます〕

〔冒頭原稿なし〕

堅い瓔珞はまっすぐに下に垂れます。
実にひらめきかがやいてその生物は堕《お》ちて来ます。

まことにこれらの天人《てんにん》たちの
水素よりもっと透明《とうめい》な
悲しみの叫びをいつかどこかで
あなたは聞きはしませんでしたか。
まっすぐに天を刺《さ》す氷の鎗《やり》の
その叫びをあなたはきっと聞いたでしょう。

けれども堕ちるひとのことや
又溺《またおぼ》れながらその苦い鹹水《かんすい》を

一心に呑《の》みほそうとするひとたちの
はなしを聞いても今のあなたには
ただある愚《おろ》かな人たちのあわれなはなし
或《あるい》は少しめずらしいことにだけ聞くでしょう。

けれどもただそう考えたのと
ほんとうにその水を嚙《か》むときとは
まるっきりまるっきりちがいます。
それは全《まった》く熱《あつ》いくらいまで冷たく
味のないくらいまで苦く
青黒さがすきとおるまでかなしいのです。

そこに堕ちた人たちはみな叫びます
わたくしがこの湖に堕ちたのだろうか
堕ちたということがあるのかと。
全くそうです、 誰《たれ》がはじめから信じましょう。
それでもとうとう信ずるのです。
そして一 そうかなしくなるのです。

こんなことを今あなたに云《い》ったのは
あなたが堕《お》ちないためにでなく
堕ちるために又《また》泳ぎ切るためにです。
誰でもみんな見るのですし　また
いちばん強い人たちは願いによって堕ち
次いで人人と一緒に飛騰《ひとう》しますから。

一九二二、五、二一、

厨川《くりやかわ》停車場　（一九二二・六・二一・）

（もうすっかり夕方ですね。）
けむりはビール瓶《びん》のかけらなのに、
そらは苹果酒《サイダー》でいっぱいだ。
（じゃ、さよなら。）
砂利《じやり》は北上《きたかみ》山地製、
（あ、僕、車の中へマント忘れた。
すっかりはなしこんでいて。）

（あれは有名な社会主義者だよ。
何回か東京で引っぱられた。）
髪《かみ》はきれいに分け、
まだはたち前なのに、
三十にも見えるあの老《ふ》けようとネクタイの鼠縞《ねずみしま》。

（ええと、済《す》みませんがね、
ぼろぼろの繻子《しゆす》のマント、
あの汽車へ忘れたんですが。）
（何ばん目の車です。）………
　（二等の前の車だけぁな。）

Larix, Larix, Larix,
青い短い針を噴《ふ》き、
夕陽《ゆうひ》はいまは空いっぱいのビール、
かっこうは　あっちでもこっちでも、
ぼろぼろになり　紐《ひも》になって啼《な》いている。

青森挽歌《ばんか》　三

――一九二三、八、一、――

仮睡硅酸《かすいけいさん》の溶《と》け残ったもやの中に
つめたい窓の硝子《ガラス》から
あけがた近くの苹果《りんご》の匂《におい》が
透明《とうめい》な紐《ひも》になって流れて来る。
それはおもてが軟玉《なんぎよく》と銀のモナド
半月の噴いた瓦斯《ガス》でいっぱいだから
巻積雲《けんせきうん》のはらわたまで
月のあかりは浸《し》みわたり
それはあやしい蛍光板《けいこうばん》になって
いよいよあやしい匂か光かを発散《はっさん》し
なめらかに硬《かた》い硝子さえ越えて来る。
青森だからというのではなく
大ていい月がこんなような暁《あかつき》ちかく

巻積雲《けんせきうん》にはいるとき
或《ある》いは青ぞらで溶《と》け残るとき
必ず起る現象です。
私が夜の車室に立ちあがれば
みんなは大ていねむっている。
その右側の中ごろの席
青ざめたあけ方の孔雀《くじやく》のはね
やわらかな草いろの夢をくわらすのは
とし子、おまえのように見える。
「まるっきり消《に》たものもあるもんだ、
法隆寺の停車場《ていしやば》で
すれちがう汽車の中に
まるっきり同じわらすさ。」
父がいつかの朝そう云《い》っていた。
そして私だってそうだ
あいつが死んだ次の十二月に
酵母《こうぼ》のようなこまかな雪
はげしいはげしい吹雪《ふぶき》の中を

私は学校から坂を走って降りて来た。
まっ白になった柳沢洋服店のガラスの前
その藍《あい》いろの夕方の雪のけむりの中で
黒いマントの女の人に遭《あ》った。
帽巾に目はかくれ
白い顎《あご》ときれいな歯
私の方にちょっとわらったようにさえ見えた。
(それはもちろん風と雪との屈折率《くっせつりつ》の関係だ。)
私は危なく叫んだのだ。
(何だ、うな、死んだなんて
いい位のごと云って
今ごろ此処《ここ》ら歩てるな。)
又《また》たしかに私はそう叫んだにちがいない。
ただあんな烈《はげ》しい吹雪の中だから
その声は風にとられ
私は風の中に分散してかけた。
「太洋を見はらす巨《おお》きな家の中で
仰向《あおむ》けになって寝ていたら

もしもしもしもしって云《い》って
しきりに巡査が起しているんだ。」
その皺《しわ》くちゃな寛《ゆる》い白服
ゆうべ一晩そんなあなたの電燈《でんとう》の下で
こしかけてやって来た高等学校の先生
青森へ着いたら
苹果《りんご》をたべると云うんですか。
海が藍靛《らんじょう》に光っている
いまごろまっ赤《か》な苹果はありません。
爽《さわ》やかな苹果青《りんごせい》のその苹果なら
それはもうきっとできてるでしょう。

津軽海峡《かいきょう》

——一九二三、八、一、——

夏の稀薄《きはく》から却《かえ》って玉髄《ぎょくずい》の雲が凍《こご》える
亜鉛《あえん》張りの浪《なみ》は白光の水平線から続き
新らしく潮で洗ったチークの甲板《かんぱん》の上を
みんなはぞろぞろ行ったり来たりする。
中学校の四年生のあのときの旅ならば
けむりは砒素鏡《ひそきょう》の影を波につくり
うしろへまっすぐに流れて行った。
今日はかもめが一疋《ぴき》も見えない。
（天候のためでなければ食物のため、
じっさいベーリング海峡の氷は
今年はまだみんな融《と》け切らず
寒流はじきその辺まで来ているのだ。）
向こうの山が鼠《ねずみ》いろに大へん沈んで暗いのに

水はあんまりまっ白に湛《たた》え
小さな黒い漁船さえ動いている。
（あんまり視野が明る過ぎる
　その中の一つのブラウン氏運動だ。）
いままではおまえたち尖《とが》ったパナマ帽《ぼう》や
硬《かた》い麦稈《むぎわら》のぞろぞろデックを歩く仲間と
苹果《りんご》を食ったり遺伝のはなしをしたりしたが
いつまでもそんなお付き合いはしていられない。
さあいま帆綱《ほづな》はぴんと張り
波は深い伯林《ベルリン》青に変り
岬《みさき》の白い燈台には
うすれ日や微《かす》かな虹《にじ》といっしょに
ほかの方処系統からの信号も下りている。
どこで鳴る呼子《よびこ》の声だ、
私はいま心象の気圏《きけん》の底、
津軽海峡《かいきょう》を渡って行く。
船はかすかに左右にゆれ
鉛筆の影はすみやかに動き

日光は音なく注いでいる。
それらの三羽のうみがらす
そのなき声は波にまぎれ
そのはばたきはひかりに消され
（燈台はもう空の網《あみ》でめちゃめちゃだ。）
向こうに黒く尖《とが》った尾と
滑《なめ》らかに新らしいせなかの
波から弧《こ》をつくってあらわれるのは
水の中でものを考えるさかなだ
そんな錫《すず》いろの陰影《いんえい》の中
向こうの二等甲板《かんぱん》に
浅黄《あさぎ》服を着た船員は
たしかに少しわらっている
私の問《とい》を待っているのだ。

いるかは黒くてぬるぬるしている。
かもめがかなしく鳴きながらついて来る。
いるかは水からはねあがる

そのふざけた黒の円錐形《えんすい》
ひれは静止した手のように見える。
弧《こ》をつくって又《また》潮水に落ちる
　（きれいな上等の潮水だ。）
水にはいれば水をすべる
信号だの何だのみんなうそだ。
こんなたのしそうな船の旅もしたことなく
ただ岩手県の花巻と
小石川の責善寮と
二つだけしか知らないで
どこかちがった処《ところ》へ行ったおまえが
どんなに私にかなしいか。
「あれは鯨《くじら》と同じです。けだものです。」

くるみ色に塗られた排気筒《はいきとう》の
下に座《すわ》って日に当っていると
私は印度《インド》の移民です。
船酔いに青ざめた中学生は

も少し大きな学校に居る兄や
いとこに連れられてふらふら通り
私が眼《め》をとじるときは
にせもののピンクの通信が新らしく空から来る。
二等甲板の船艙《せんそう》の
つるつる光る白い壁に
黒いかつぎのカトリックの尼《あま》さんが
緑の円《まる》い瞳《ひとみ》をそらに投げて
竹の編棒《あみぼう》をつかっている。
それから水兵服の船員が
ブラスのてすりを拭《ふ》いて来る。

駒《こま》ヶ岳《たけ》

弱々しく白いそらにのびあがり
その無遠慮な火山礫《れき》の盛《も》りあがり
黒く削られたのは熔《と》けたものの古いもの
（喬木帯《きようぼく》灌木帯《かんぼく》、苔蘚帯《たいせん》というようなことは
まるっきり偶然《ぐうぜん》のことなんだ。三千六百五十尺《しやく》）
いまその赭《あか》い岩巓《がんてん》に
一抹《いちまつ》の傘雲《かさぐも》がかかる。
　　（In the good summer time, In the good summer time;）
《ごらんなさい。
その赭いやつの裾野《すその》は
うつくしい木立《こだち》になって傾斜《スロープ》もやさしく
　黄いろな林道も通っています。》
「全体その海の色はどうしたんでしょう。

青くもないしあんまり変な色なようです。」

「ええ、それは雲の関係です。」

何が雲の関係だ。気圧がこんなに高いのに。

旭川

植民地風のこんな小馬車に
朝はやくひとり乗ることのたのしさ
「農事試験場まで行って下さい。」
「六条の十三丁目だ。」
馬の鈴は鳴り馭者《ぎよしや》は口を鳴らす。
黒布はゆれるしまるで十月の風だ。
一列馬をひく騎馬《きば》従卒《じゆうそつ》のむれ、
この偶然《ぐうぜん》の馬はハックニー
たてがみは火のようにゆれる。
馬車の震動のこころよさ
この黒布はすべり過ぎた。
もっと引かないといけない
こんな小さな敏捷《びんしよう》な馬を

朝早くから私は町をかけさす
それは必ず無上菩提《むじょうぼだい》にいたる
六条にいま曲れば
おお落葉松　落葉松　それから青く顫《ふる》えるポプルス
この辺に来て大へん立派にやっている
殖民地風の官舎の一ならびや旭川中学校
馬車の屋根は黄と赤の縞《しま》で
もうほんとうにジプシイらしく
こんな小馬車を
誰《たれ》がほしくないと云《い》おうか。
乗馬の人が二人来る
そらが冷たく白いのに
この人は白い歯をむいて笑っている。
バビロン柳《やなぎ》、おおばことつめくさ。
みんなつめたい朝の露《つゆ》にみちている。

宗谷挽歌《ばんか》

（一九二三、八、二）

こんな誰《たれ》も居ない夜の甲板《かんぱん》で
（雨さえ少し降っているし、）
海峡《かいきょう》を越えて行こうとしたら、
（漆黒《しっこく》の闇のうつくしさ。）
私が波に落ち或《ある》いは空に擲《な》げられることがないだろうか。
それはないような因果《いんが》連鎖《れんさ》になっている。
けれどももしとし子が夜過ぎて
どこからか私を呼んだなら
私はもちろん落ちて行く。
とし子が私を呼ぶということはない
呼ぶ必要のないとこに居る。
もしそれがそうでなかったら
（あんなひかる立派なひだのある

紫いろのうすものを着て
　まっすぐにのぼって行ったのに。）
もしそれがそうでなかったら
どうして私が一緒に行ってやらないだろう。
船員たちの黒い影は
水と小さな船燈《せんとう》との
微光の中を往来して
現に誰かは上甲板にのぼって行った。
船は間もなく出るだろう。
稚内《わっかない》の電燈《でんとう》は一列とまり
その灯の影は水にうつらない。
　潮風と霧《きり》にしめった舷《げん》に
その影は年老《としと》ったしっかりした船員だ。
　私をあやしんで立っている。
霧がばしゃばしゃ降って来る。
帆綱《ほづな》の小さな電燈がいま移転し
怪《あや》しくも点ぜられたその首燈《しゅとう》、
実にいちめん霧がぼしゃぼしゃ降っている。

降っているよりは湧《わ》いて昇っている。
あかしがつくる青い光の棒を
超絶顕微鏡の下の微粒子《びりゅうし》のように
どんどんどんどん流れている。
（根室《ねむろ》の海温と金華山《きんかざん》沖の海温
　大正二年の曲線と大へんよく似ています。）
帆綱《ほづな》の影はぬれたデックに落ち
津軽海峡《かいきょう》のときと同じどらがいま鳴り出す。
下の船室の前の廊下を通り
上手に銅鑼《どら》は擦《こす》られている。
　鉛筆がずいぶんす早く
小刀をあてない前に削《そ》げた。
頑丈《がんじょう》そうな赤髯《あかひげ》の男がやって来て
私の横に立ちその影のために
私の鉛筆の心はうまく折れた。
こんな鉛筆はやめてしまえ
海へ投げることだけは遠慮して
黄いろのポケットにしまってしまえ。

霧《きり》がいっそうしげくなり
私の首すじはぬれる。
浅黄《あさぎ》服の若い海員がたのしそうに走って来る。
「雨が降って来たな。」
「イイス。」
「イイスて何だ。」
「雨ふりだ、雨が降って来たよ。」
「瓦斯《ガス》だよ、霧だよ、これは。」
とし子、ほんとうに私の考えている通り
おまえがいま自分のことを苦にしないで行けるような
そんなしあわせがなくて
従って私たちの行こうとするみちが
ほんとうのものでないならば
あらんかぎり大きな勇気を出し
私の見えないちがった空間で
おまえを包むさまざまな障害を
衝《つ》きやぶって来て私に知らせてくれ。
われわれが信じわれわれの行こうとするみちが

もしまちがいであったなら
究竟《くきよう》の幸福にいたらないなら
いままっすぐにやって来て
私にそれを知らせて呉《く》れ。
みんなのほんとうの幸福を求めてなら
私たちはこのままこのまっくらな
海に封ぜられても悔《く》いてはいけない。
（おまえがここへ来ないのは
　タンタジールの扉のためか、
　それは私とおまえを嘲笑《ちようしよう》するだろう。）
呼子《よびこ》が船底の方で鳴り
上甲板《かんぱん》でそれに応《こた》える。
それは汽船の礼儀だろうか。
或《ある》いは連絡船だということから
汽車の作法をとるのだろうか。
霧はいまいよいよしげく
舷燈《げんとう》の青い光の中を
どんなにきれいに降ることか。

稚内《わっかない》のまちの灯は移動をはじめ
たしかに船は進み出す。
この空は広重《ひろしげ》のぼかしのうす墨《ずみ》のそら
波はゆらぎ汽笛《きてき》は深くも深くも吼《ほ》える。
この男は船長ではないのだろうか。
（私を自殺者と思っているのか。
私が自殺者でないことは
次の点からすぐわかる。
第一自殺をするものが
霧の降るのをいやがって
青い巾《きれ》などを被《かぶ》っているか。
第二に自殺をするものが
二本も注意深く鉛筆を削《けず》り
そんなあやしんで近寄るものを
霧の中でしらしら笑っているか。）
ホイッスラアの夜の空の中に
正しく張り渡されるこの麻《あさ》の綱は
美しくもまた高尚《こうしょう》です。

あちこち電燈《でんとう》はだんだん消され
船員たちはこころもちよく帰って来る。

稚内《わっかない》のまちの北のはずれ
私のまっ正面で海から一つの光が湧《わ》き
またすぐ消える、　鳴れ汽笛《きてき》鳴れ。

火はまた燃える。

「あすこに見えるのは燈台《とうだい》ですか。」

「そうですね。」

またさっきの男がやって来た。

私は却《かえ》ってこの人に物を云《い》って置いた方がいい。

「あすこに見えますのは燈台ですか。」

「いいえ、あれは発火信号です。」

「そうですか。」

「うしろの方には軍艦も居ますがね、
あちこち挨拶《あいさつ》して出るとこです。」

「あんなに始終つけて置かないのは、

〔この間、原稿数枚なし〕

永久におまえたちは地を這《は》うがいい。
さあ、海と陰湿《いんしつ》の夜のそらとの鬼神《きしん》たち
私は試みを受けよう。

自由画検定委員

どうだここはカムチャッカだな
家の柱ものきもみんなピンクに染めてある
渡り鳥はごみのようにそらに舞いあがるし
電線はごく大《だい》たんにとおっている
ひわいろの山をかけあるく子どもらよ
緑青《ろくしょう》の松も丘にはせる

こいつはもうほんもののグランド電柱で
碍子《がいし》もごろごろ鳴ってるし
赤いぼやけた駒鳥《こまどり》もとまっている
月には地球照《アースシャイン》があり
かっこうが飛び過ぎると
家のえんとつは黒いけむりをあげる

おいおいおいおい
とてもすてきなトンネルだぜ
けむって平和な群青《ぐんじょう》の山から
いきなりガアッと線路がでてきて
まるで眼《め》のまえまで一ぺんにひろがってくる
鳥もたくさん飛んでいるし
野はらにはたんぽぽやれんげそうや
じゅうたんをしいたようです

お月さまからアニリン色素がながれて
そらはへんにあかくなっている
黒い三つの岩頸《がんけい》は
もう日も暮れたのでさびしくめいめいの銹《さび》をはく
田圃《たんぼ》の中には小松がいっぱいに生えて
黄いろな丁字《ていじ》の大街道を
黒いひとは髪《かみ》をぱちゃぱちゃして大手をふってあるく

鳥ががあがあとんでいるとき
またまっしろに雪がふっているとき
みんなはおもての氷の上にでて
遊戯《ゆうぎ》をするのはだいすきです
鳥ががあがあとんでいるとき
またまっしろに雪がふっているとき

青ざめたそらの夕がたは
みんなはいちれつ青ざめたうさぎうまにのり
きらきら金のばらのひかるのはらを
犬といっしょによこぎって行く
青ざめたそらの夕がたは
みんなはいちれつ青ざめたうさぎうまにのり

短唱

冬のスケッチ

本篇の各頁右肩に付したゴシック体漢数字は、「本篇草稿が宮沢家に保存されていたままの紙葉順」を示すものであって、作者生前の本篇草稿紙葉順を示すものではない。個々の紙葉間で、内容的につながっていると判定される場合には点線枠同士の間を一行アキにし、つながりが不確実な場合には二行アキにし、明らかに断絶がある(欠落あるいは非連続)と見られる場合にはそこに縦線を入れて、これらの実状を示した。なお、本文の字下げ、字配りは原稿用紙のマス目に従い、点線枠の外まではみ出しているものは、マス目の外まで書かれている事を示す。読み進められるに当っては、この点に特に留意していただきたい。

なお、各篇には文語体と口語体が用いられているが、文語体は古典仮名づかい、口語体は現代仮名づかい、振り仮名は現代仮名づかいで整えた。(編者)

一

冬のスケッチ　四、

＊

芽は燐光《りんこう》
樹液《じゆえき》はまこと月あかり

＊

薄明穹《はくめいきゆう》黄ばみ濁り
こひのこゝろはあわたゞし
こひのこゝろはつめたくかなし

＊

西の黄金の
尊きうつろに　もつれし枝はうかびたり
枝にとまりて　からす首をうごかせり。

＊

さびしきは
雪のはんのきのめばな
雪のはんのきのその燐光

＊

しらくもの

日にかゝれば
高く飛ぶ鳥かな。

二

日いよいよ白き火を燃したまひ
ひかるは電信ばしらの瀬戸の碍子《がいし》。

＊

銀のモナドを燃したまひ
日輪《にちりん》そらに　かゝります
早坂の黒すぎは
みだれごゝろをしづに立つ。

＊

のばらにからだとられたり
水なめらかにすべりたり。

＊

うすぐもり

三

日は白き火を波に点じ
レンブラントの魂《たましい》ながれ
小笹《こざさ》は宙《ちゅう》にうかびたり

*

これは浅葱《あさぎ》の春の水なり
まさに浅葱の春の水なり
かずのぶが蒔絵《まきえ》の中の浅葱水なり。

*

雪ふれば杉あたらしく呼吸す
雪霽《は》るれば杉あたらしく呼吸す

*

雪すこしふり
杉にそゝぐ飴《あめ》いろの日光
なほ雪もよひ　白日輪、
からすさわぐ

＊　農園設計

十月はひまわりを見る。
夏はケールとはなやさい。
六月はひなげしを見る
春はたねを見る。

四

そのとき人工の火ひらめきて
水より滋《しげ》くもえあがり
またほのぼのと消え行けり。

＊

なにゆゑかのとき　きちがひの
透明《とうめい》クラリオネット、

五

わらひ軋《きし》り
わらひしや。

*

たばこのけむり　かへつて天の
光の霧《きり》をかけわたせり。

*

せんたくや、
そのときまつたく泪《なみだ》をながし
やがてほそぼそ泪かわき
すがめひからせ
インバネスのえりをなほせり。

*

三疋《びき》の
さびしいからす

三人の
げいしゃのあたま。

＊

あたかもそのころ
キネオラマの支度《したく》とて
紫の燐光《りんこう》らしきもの
横に舞台をよぎりたり

＊

（その川へはしをかけたらなんでもないじゃありませんか。）と、おもひつめし故《ゆえ》かへって
愚のことを云《い》へり。

＊

あけがたを
雲がせわしくながれて行き
上等兵は
たばこの火をぴたりと地面になげすてる。

＊

劇場のやぶれしガラス窓に
するどくも磨《みが》かれ、むらさきの身を光らしめ
西のみかづき歪《ゆが》みかゝれり。

六

ぬすまんとして立ち膝《ひざ》し、
その膝、光りかゞやけり
ぬすみ得ず　十字燐光
やがていのりて消えにけり。

＊　おもかげ

心象《しんしょう》の燐光盤に
きみがおもかげ来ぬひまは
たまゆらをほのにやすらふ
そのことのかなしさ。

天河《てんが》石《せき》、心象のそら
うるわしきときの
きみがかげのみ見え来《く》れば

せつなくてわれ泣けり。
ぱんのかけらこぼれ
いんくの雫《しずく》かわきたり。
＊　寂静印《じゃくじょういん》

七

＊
九時六分のかけ時計
その青じろき盤面《ダイアル》に
にはかにも
天の栄光そゝぎきたれり。

＊
しろびかりが室《へや》をこめるころ
澱粉《でんぷん》ぬりのまどのそとで
しきりにせのびをするものがある
しきりにとびあがるものがある
きっとゾンネンタールだぞ。
＊

八

さかなのねがひはかなし
青じろき火を点じつつ。

まことはかなし

め居たれ

＊

けむりかゝれば　はんのきの
酸化銅の梢《こずえ》　さっとばかりに還元《かんげん》す。

＊

はんのきよ
きりのこされしはんのきよ

九

褐《かち》の雄ばなの房垂るゝ
その房もまたわれに与へよ。
与へずや。

＊

ここの並木の松の木は
あんまり混《こ》み過ぎますよ
あんまり枝がこみあって
せっかくの尾根の雪も
また、そら、あの山肌《やまはだ》の銅粉《どうふん》も
なにもかもさっぱり見えないじゃありませんか。すこし間伐《かんばつ》したらどうです。

＊

雪がふかいのならば

仕方もありませんけれど
これではあんまり
みちがくらすぎはしませんか。

＊

いつの間にやら
銅粉をまいてけむっていた山も見えません
し、
藍《あい》の山肌がゴリゴリの岩にかわり
川の向こうに黒くそびえて居《お》りました。

＊

和賀《わが》川のあさぎの波と
天末《てんまつ》のしろびかり
緑青《ろくしょう》の東の丘をわれは見たり

＊

（赦《ゆる》したまへ。）
この層はひどい傾斜《けいしゃ》です。
おまけに峡谷《きょうこく》にはいりましてから
にわかに雪が増しました。

＊

ぎざぎざに

一〇

ちぎられし
どてのひまより
ひかりの天末《てんまつ》
かはるがはるのぞきたり。

＊

あすこが仙人《せんにん》の鉄山ですか、
雪がよごれて黄いろなあたり。

＊

夏油《げとう》の川は岩ほりて
浅黄《あさぎ》の波を鳴らしたり
雑木《ぞうき》と雪のうすけぶり
ましろき波を鳴らしたり。

＊

いたゞきの梢《こずえ》どもは
つめたき天にさらされて
けさなほ雪をかむりたり。

＊

雪融《ゆきどけ》の山のゆきぞらに
一点白くひかるもの

二

恐《おそ》らくは白日輪なりなんを
ひとびとあふぎはたらけり。

＊

赤さびの廃坑より
水しみじみと湧《わ》きて鳴れり。

＊

げに和賀川《わがかわ》よ赤さびの
けはしき谷の底にして
春のまひるの雪しろの
浅黄の波をながしたり。

＊

和賀川の浅葱《あさぎ》の雪代水に
からだのりだす栗《くり》の木ら
その根は赤銹《あかさび》によりて養はる。

＊
ならび落つる
泉を見んと立ちどまりしとき
かれ葉かさかさと鳴り
透明《とうめい》の雨はふりきたる
雑木《ぞうき》のこずゑに

一二

日輪《にちりん》白くかゝり在《お》はせど。

＊
さっきのごりごりの岩崖《いわがけ》で
降り出したのは雨ではなかったぜ
霙《みぞれ》らしかったよ。　霙だぜ。

＊
わがもとむるはまことのことば
雨の中なる真言《しんごん》なり
あめにぬれ　停車場《ていしゃば》の扉をひらきしに
風またしとど吹き出《い》でて

雲さへちぎりおとされぬ。

＊

崖下《がけした》の
旧式鉱炉《こうろ》のほとりにて
一人の坑夫
妻ときたるに行きあへり
みちには雪《ゆき》げの水ながれ
二疋《ひき》の犬もはせ来《きた》る
されど　空白くして天霧《あまぎら》し
町に一つの音もなけれど

―――

一三

＊

風の中にて
ステッキ光れり
かのにせものの
黒のステッキ。

＊

風の中を
なかんとていでたてるなり
千人供養《くよう》の
石にともれるよるの電燈《でんとう》

＊

やみとかぜとのなかにして
こなにまぶれし水車屋は
にはかにせきし歩みさる
西天なほも　水明り。

＊

やみのなかに一つの井戸あり
行商にはかにたちどまり
つるべをとりてやゝしばし
天の川をばながめたり。

あまの川の小《ちいさ》き爆発《ばくはつ》
たよりなく行ける鳥あり
かすかにのどをならしつゝ
ひとはつるべを汲《く》みあぐる。

＊ 奉膳《ほうぜん》

つめたき朝の真鍮《しんちゅう》に
盛《も》りまつり
こゝろさびしくおろがめば
おん舎利《しゃり》ゆゑにあをじろく
燐光《りんこう》をはなちたまふ。

＊

ちり落ち来《きた》り
雪となりてつちにつむ
にっぽんなどとよばれたる
この気圏《きけん》のはなれがたし。

＊

桐《きり》の実は

一五

このとき凍《こお》りし泥のでこぼこも寂《しず》まりて
街燈《がいとう》たちならぶ菩薩《ぼさつ》たちと見えたり

＊

弓のごとく
鳥のごとく
昧爽《まだき》の風の中より
家に帰り来れり。

一六

にわかにも立ち止まり
二つの耳に二つの手をあて
電線のうなりを聞きすます。

＊

そのとき桐《きり》の木みなたちあがり
星なきそらにいのりたり。

＊

みなみ風なのに
こんなにするどくはりがねを鳴らすのは
どこかの空で
氷のかけらをくぐって来たのにちがいない

＊

瀬川橋と朝日橋との間のどてで、
このあけがた、
ちぎれるばかりに叫んでいた、
電信ばしら。

＊

風つめたくて
北上も、とぎれとぎれに流れたり
みなみぞら

一七

からす、正視にたへず、
また灰光の桐《きり》とても
見つめんとしてぬかくらむなり。

＊

たましひに沼気《しょうき》つもり
くろのからす正視にたへず
やすからん天の黒すぎ
ほことなりてわれを責む。

＊

きりの木ひかり
赤のひのきはのびたれど
雪ぐもにつむ
カルボン酸をいかにせん。

＊

かなしみをやめよ
はやしはさむくして

一八

＊

行きつかれ
はやしに入りてまどろめば
きみがほほちかくにあり
（五百人かと見れば二百人
二百人かと見れば五百人）

いつか日ひそみ
すぎごけかなしくちらばれり。

＊

散乱《さんらん》のこゝろ
そらにいたり
光のくもを
織りなせり。

一九

冬のスケッチ　㈤、

＊朝

みちにはかたきしもしきて
きたかぜ檜葉《ひば》をならしたり
贋物師《いかものし》、加藤宗二郎の門口《かどぐち》に
まことの祈りのこゑきこゆ

*

実をむすび日をさえぎれる桐《きり》のえだあり。

*

すこし置きたるかたしもを
吹きあげしたるきたのかぜ
日輪《にちりん》　はやくもしろびかり
銀の後光を　　　降らしたり

*

水のしろびかり見れば
こゝろきよめらる

日のしろびかり消ゆれば
うづまきてながるゝなみ

二〇

みなみの天末《てんまつ》は
白金にしてひらけたれば
はやくもひとの飛び過ぐる。

＊　なやみ

なやみは
ただし。
なやみは
白くみゆ。

＊

かばかりも
しづむこゝろ、
雪の中にて
蟬《せみ》なくらしを。

＊

そのとき
雪の蟬
又《また》鳴けり。

＊

若きそらの母の下を
小鳥ら、ちりのごとくなきて過ぎたり。

二

＊

そらの若き母に
梢《こずえ》さゝぐるくるみの木
くるみのえだの
かぼそい蔓《つる》

＊

そらしろびかり
くるみとは
げにもあやしき
気圏《きけん》の底のいきものなるかな。

＊

すこしの雪をおとしたる
母のみそらのしろびかり

あらそふはからす
枝をのばすはくるみの木

＊

雪すこし降り
杉しづまり
からすども鳴く、鳴く、
からだも折れよと鳴きわたる。

二三

梢《こずえ》ばかりの紺《こん》の一本杉が見えたとき
草にからだを投げつければ
わずかに見える天の地図

＊

地平線近くのしろびかりは
亜鉛《あえん》の雪か天末《てんまつ》か
うすあかりからかなしみが来るものか。

＊

二三

おおすばるすばる
ひかり出でしな
枝打たれたる黒すぎのこずえ。

*

せまるものは野のけはい
すばるは白いあくびをする
塚《つか》から杉が二本立ち
ほのぼのとすばるに伸びる。

*

すばるの下に二本の杉がたちまして
杉の間に一つの白い塚がありました。
如是《によぜ》相如是性如是体《そうによぜしようによぜたい》と合掌《がつしよう》して
申しましたとき
はるかの停車場《ていしやば》の灯《あかし》の列がゆれました。

*

日曜にすること

運針布を洗濯《せんたく》し
うん針を整理し
試験をみる
それから　つばきの花をかき
本をせいりし　手げいをする
　とノートのはじに書けるなり。

＊

天上に青白い顔が見える。
黄金《きん》の輪廓《りんかく》から。

＊

ねばつちですから桐《きり》はのびないのです。
横に茶いろの枝をひろげ
いっぱいに黒い実をつけています。
台の向こうはしろいそら、
ピンとはられた電信のはりがね。

＊

二四

水こぼこぼと鳴る
ひぐれまぢかの笹《ささ》やぶを、
しみじみとひとりわけ行けり。

＊

隔離舎《かくり》のうしろの杉の脚《あし》から
西のそらが黄にひかる

＊

雨がふり出し
却《かえ》って雪は光り出す

＊

雪融《ゆきど》けの洪水から　杉は
みんな泥をかぶった。
それからつづいてそらが白く
雪は黄色に横たわり
鷹《たか》は空で口をあけて飛び
からすはからだをまげてないた。

＊

かれ草は水にはかれ

そらしろびかり
崖《がけ》の赤砂利《あかじゃり》は暗くなる。

二五

＊

きりあめのよるの中より
一すじ西の青びかり、
はじめは雪とあざわらひ
やがては知りつ落ちのこり
薄明穹《はくめいきゅう》のひとかけと
ほのかにわらひ人行けり。

＊

これはこれ、はがねをなせる
やみの夜のなつかしき灰いろなり
そらよりは霧《きり》をふらしたれば
まちの灯は青く見え
らんかんは夢みたり、

二六

又《また》、鳥そらの方に鳴きて
川水鳴りぬ、これはこれ
まことのやみの灰いろなり。

*

鼓膜《こまく》をどこからか圧《お》すものがあるぞ
まっくろ林の方でかさかさ歌ってゐる声が、

どうもはっきりわからないぞ。

*

灰いろはがねの夜のそこ
砂利にからだをほうり出せ。

*

灰鋳鉄《ちゅうてつ》のよるのそこ
あるき出せば風がふき出す
黒のフィウマス、並木松、
風が軋《きし》るぞ　あるき出せ。

＊

黒松ばやし
近づけば
おれは一つぶ。
林の磁石《じしゃく》　松の闇。

＊

灰鋳鉄《ちゅうてつ》のやみのそこにて
なにごとをひとりいらだち
罵《ののし》るおとこぞ　天《あま》ぎらし。

二七

＊

私は線路の来た方をふりかえって見ました。そこは灰色でたしかに　死にののはらにかわっていたのです。闇もそうでしたしかれくさもそうでした。

＊

シグナルに
にはかに青き火あらはれ
汽車かけ来りたれば
われせきを越しどてに座せり
霧《きり》青くふりきたり
列車に明き窓もなく
まことに夜の貨物のみ。
たゞしけむりはシグナルの赤をうつして
ひらめけり。あるひは青くながれたり。

＊

（メキシコの
さぼてんの砂っ原から
向こうを見るとなにが見えますか。）
（ポポカテペトル噴火山が見えます。）

二八

（そうです。そんならポポカテペトル噴火山から下の方を見ると何が見えますか。)
(ポポカテペトル山の上から下を見ますと
主にさぼてんなどが見えます。)

*

つゝましく肩をすぼめし家並に
さかまきひかるしろのくも。

*

雲のしらが　光りてうづまきぬ。

*

なまこぐものへり
あまりにもしろびかり
まぶしさに
目もあかれず。

*

天狗巣病《てんぐすびょう》にはあらねども
あまりにしげきこずえなり
(光の雲と　桜の芽)

*

気圏《きけん》かそけき霧《きり》のつぶを含みて

二九

東京の二月のごとく見ゆるなり
腐植質《ふしょくしつ》のぬかるみを
あゆみよりしとき
停車場《ていしゃば》のガラス窓にて
わらひしものあり
又《また》みぢかきマント着て
税務属も入り来《きた》りけり。

＊

兄弟の馬喰《ばくろう》にして
一人はこげ茶
一人は朝のうぐいすいろにいでたてり
ひげをひねりてかたりたり。

＊

白きそらにて　電燈《でんとう》いま消えたり
されば腐植のぬかるみをふみて
ひとびとはたらきいでしなり。

＊

電車のはしらはすなほなり
白きそらに行かんとするをふみとまり

＊

三〇

＊

用なき朝のシグナルの
青めがね白きそらをすかせり

＊

栗駒《くりこま》山あえかの雪をたゝえたり
あえかの雲を流したり
天末《てんまつ》は銀のいらだち　白びかり

＊

しろきそらを
鳥二羽つかれてたゞよひしが
やがてもろともに
高ひのきの梢にとまれり。

＊

みつむれば
栗駒山のつらなりの
雪の中よりひかりわき
しろびかり、又《また》黄のひかりわき
わがこころの中に影置けり。

＊

ぢっとつめたく、松のあしのうごくをなが

三一

＊

西は黒くもそらの脚《あし》
つめたき天の白びかり
からまるはさいかちのふぢ
埃《ほこり》はかゝるガラス窓

つめたくひるげを終へ

ひとびとのこゝろそぐはず
西の黒くも、しろびかり
暖炉《だんろ》は石墨《せきぼく》の粉まぶれ

たまゆらにひのきゆらげば
校長の広き肩はゞ
茶羅《ら》沙《しゃ》をくすぼらし門を出づ。
埃はかゝるガラス窓。

*

杉なみのひざし
山ぶきの茎の青から青のオーバ、

三二

いちょうのこずえのひざしつくづく
天かけるゆげむら。

＊

外套《がいとう》を着て
家を出ましたら
カニスマゾアばかり
きれぎれのくろくもの
中から光って居《お》りました。

＊

黒くもの下から
少しの星座があらわれ　橋のらんかんの夢、
そこを急いで　その黒装束《くろしょうぞく》の
脚《あし》の長い旅人が行き
遠くで川千鳥《ちどり》が鳴きました。

＊

そら中にくろくもが立ち
西のわずかのくれのこり
銀の散乱《さんらん》の光を見れば
にわかにむねがおどります

三三

＊

川が鳴り
雲がみだれ
ぬかるみは
西のすこしの銀の散乱《さんらん》をうつす。

＊

川瀬の音のはげしいくらやみで
根子《ねこ》の方のちぎれた黒雲に
むっと立っている電信ばしらあり。

＊

西公園の台の上にのぼったとき
大きな影が大股《おおまた》に歩いて行くのをおれは見た。

＊

こめかみがひやっとしましたので
霰《あられ》かと思って急いでそらを見ましたら
丁度《ちょうど》頭の上だけの雲に穴があき
さびしい星が一杯《いっぱい》に光って居《お》りました。

それからまたそのことを書きつけて

三四

何座だろうともう一遍《いっぺん》そっちを見ましたら
こんどはもうぼんやりした雲がいっぱいで
遠くを汽車がごうとはせました。

＊

ほんとうにおれは泣きたいぞ。
一体なにを恋しているのか。
黒雲がちぎれて星をかくす
おれは泣きながら泥みちをふみ。

みちばたの小藪《こやぶ》に
からだをおとしたとき
停車場《ていしゃば》の灯の列はゆれ
気圏《きけん》も泣いているらしい。

*
このとき星またあらわれ或《ある》いはカシオペイアかと思い、あくびせり
ほのぼのと夜のあくびせり
*
おれのかなしさはどこから来るのだ。

三五

*
鉛筆のさきにて
まことたまゆら
ひらめき見えし
燐光《りんこう》よ。
*
でこぼこの地平線
地平線の上のうすあかり
うすあかくしてたゞれたり

いづちより来《こ》し光なるらん。

＊　線路

汽車のあかるき窓見れば
こゝろつめたくうらめしく
そらよりみぞれ降り来《きた》る。

＊

まことのさちきみにあれと
このゆゑになやむ。

＊

きみがまことのたましひを

三六

まことにとはにあたへよと
いな、さにあらず、わがまこと
まことにとはにきみよとれ、と。

＊

ひたすらにおもひたむれど

このこひしさをいかにせん
あるべきことにあらざれば
よるのみぞれを行きて泣く。

*

まことにひとにさちあれよ
われはいかにもなりぬべし。
こはまことわがことばにして
またひとびとのことばなり。

かなしさになみだながるる。

*

みぞれのなかの菩薩《ぼさつ》たち
応はひゞきのごとくなり
はかなき恋をさながらに
まことのみちにたちもどる。

三七

はやくも酵母《こうぼ》西をこめ
白日輪のいかめしき
(からすはなほも演習す。)

*

あまりにも
こゝろいたみたれば
いもうとよ
やなぎの花も
けふはとらぬぞ。

*

凍《こお》りしく
ゆきのなかからやせたおおばこの黄いろの
穂がみな北に向いてならんでいます。

*　がけ

杉ばやし
けはしきゆきのがけをよぢ
こゝろのくるしさに

なみだながせり。

＊

三八

からすそらにてあらそへるとき
あたかも気《き》圏《けん》飽《ほう》和《わ》して
さとかゝれる　氷の霧《きり》。

＊

眩《めま》ぐるき
ひかりのうつろ、
のびたちて
いちじくゆるゝ
天狗《てんぐ》巣《す》のよもぎ。

＊

ながれ入るスペクトルの黄金《きん》
ひかりかゞやくよこがほよ
こころもとほくおもふかな。

＊

ストウブのかげらふのなかに
浸《し》みひたる　黄いろの靴《くつ》した。

＊

電信のオルゴール
ちぎれていそぐしらくもの
つきのおもてをよぎりては

三九

ただよひてみゆ
かなしき心象
なみださへ
その青黝《あおぐろ》の辺に
消え行くらし。

＊

照準器の三本あしとガラスまど
微風はかすれ、松の針

このよのことかとあやしめり。

＊

かれ草と雪の偏光《へんこう》
越え行くときは
ねばつちいけにからす居て
からだ折りまげ水のめり。

＊

かれ草と雪の偏光
天をうつせるねばつちの
いけにかゞまり水のむからす。

＊

すぎいまはみなみどりにて

四〇

葉をゆすり　葉をならし
青ぞらにいきづけること明らけし。

＊

ある年の気圏《きけん》の底の

春の日に
すぎとなづけしいきものすめりき

＊

そらの椀《わん》
ほのぼのとして青びかり
気圏の底にすぎとなづくる
青きいきものら
さんさんといきづき　葉をゆする

＊　木とそら。

そらの椀
げにもむなしくそこびかり
杉はまさしく青のいきもの
額《ぬか》くらみ。

＊

そらはよどみてすぎあかく

四一

青じろ、にぶきさびを吐《は》く。
（そのしらくものたえまより
　大犬の青き瞳《め》いまぞきらめきのぞくなれ。）
　＊　もだえ。

月の鉛《なまり》の雲さびに
つみ、投げやれど
すべもなし。

そらうつす
ねばつちのいけに
かゞまりて
からすゐたり、
やまのゆきのひかりを。
＊
くれぞらのしたにして
すっぱき雲と
うつろにほえる犬の声と。

つぎつぎに

*

四二

まどのガラスに塵《ちり》置きて
はるかなるはやしのなかの
たけたかき二本のすぎは
つめたききりと
はるとのなかに立ちまどふ。

*

あかきひのきのかなたより
エステルのくもわきたてば
はるのはむしらをどりいで
かれくさばたのみぎかどを
気がるにまがるインバネス。

*

光波のふるひの誤差により
きりもいまごろかゝるなり
げに白日の網膜《もうまく》の
つかれゆゑひらめける羽虫よ。

*　光酸

四三

雲の傷《いた》みの重りきて、
光の酸をふりそゝぎ、
電線小鳥　肩まるく、
ほのかになきて溶《と》けんとす。

*

かぜのうつろのぼやけた黄いろ
かれ草とはりがね、　郡役所
ひるのつめたいうつろのなかに

あめそゝぎ出でひのきはみだるる。
（まことこの時心象のそらの計器は
十二気圧をしめしたり。）

＊

よくも雲を濾《こ》し
あかるくなりし空かな。
うつろの呆《ぼう》けし黄はちらけ
子供ら歓呼《かんこ》せり。

＊

四四

ゆきをかぶりて
青らむ天の
下にあり

＊

寂《しず》まりの桐《きり》のかれ上枝《ほずえ》
点々かける赤のうろこぐも

＊

火はまっすぐに燃えて
あるいは見えず
このとき
鳩《はと》かがやいて飛んで行く。

＊

灰いろはがねのいかりをいだき
われひとひらの粘土地を過ぎ
がけの下にて青くさの黄金を見
がけをのぼりてかれくさをふめり
雪きららかに落ち来《きた》れり。

＊

トウコイスのいた
くもをはけば

四五

かなしむこゝろまたさびしむ。
江釣子森《えづりこ》とでんしんばしら。

＊

くらいやまと銀のやま
かれくさとでんしんばしら
ラリックス。

＊

そらの青びかりと酵母《こうぼ》のくも
まことにてなみだかわくことあり。

＊

やますそのかれくさに
うすびうづまき
黒き楊《やなぎ》の木　三本あり。

＊

げにもまことのみちはかゞやきはげしくして行きがたきかな。行きがたきゆゑにわれとどまるにはあらず。おゝつめたくして呼吸もかたくかゞやける青びかりの天よ。かなし

みに身はちぎれなやみにこゝろくだけつゝ
なほわれ天を恋ひしたへり。

四六

さびしき唇《くちびる》

＊

栽《う》ゑられし緑の苣《ちしや》を見れば
あらたに感ず海蒼《かいそう》色のいきどほり
陽光かたぢけなくも波立つを。

＊

日輪光耀《こうよう》したまふを
かたくなるわれは泣けり。

＊

黒き堆肥《たいひ》は
四月なり。
北の天末《てんまつ》
Tourquois。

硝酸《しょうさん》化合物は
いきどほろし
＊
風青き喪神《そうしん》を吹き
黄金の草いよよゆれたり。
＊　光燿礼讃《らいさん》

四七

白光をおくりまし
にがきなみだをほしたまへり
さらに琥珀《こはく》のかけらを賜《たま》ひ
忿《いか》りの青さへゆるしませり。

白光のなかなれば
燐光ゆがむ　妖精《ようせい》も
ころものひださへととのへず

ほのぼのとしてたゞ消え行けり。

＊

雨のかなたにて
雪赤くひかれり
また雲さらにくらくして
のこりのやなぎ
芽はゆすれり。

四八

ボーイ紅茶のグラスを集め
「まっくらでござんすな、
おばけが出さう。」と云《い》ひしなり。

四九

灼の石灰、光のこな
葡萄《ぶどう》の葉と蔓《つる》とに降らす
火雲《ほぐも》飛び去れば
わが小指ひきつる。

凡例

本コレクションは、『新校本　宮沢賢治全集』（筑摩書房）を底本とし、『新修宮沢賢治全集』、新潮文庫『新編　風の又三郎』『新編　銀河鉄道の夜』『注文の多い料理店』『ポラーノの広場』『新編　宮沢賢治詩集』等を参考にして校訂し、本文を決定しました。〔　〕のついた作品題名は、無題あるいは題名不明の作品の冒頭一行を仮題名としたものです。

本文は、短歌・文語詩以外は、現代仮名づかいに改めました。また、本文中に使用されている旧字・正字について、常用漢字字体のあるものはそれに改めました。

また、読みやすさを考え、句読点を補い、改行を施した箇所があります。

さらに、常用漢字以外の漢字、宛字、作者独自の用法をしている漢字を中心として、読みにくいと思われる漢字には振り仮名をつけ、送りがなを補いました。「一諸」「大relie」などのように作者が常用しており、当時の用法として必ずしも誤りとは言えない用字や表記についても、現代通行の標準的字・表記に改めたものがあります。

今日の人権意識に照らして不当・不適切と思われる、人種・身分・職業・身体障害・精神障害に関する語句や表現については、時代的背景と作品の価値にかんがみ、そのままとしました。

本文について

栗原　敦

本巻には、作者が生前に唯一刊行することができた詩集『春と修羅』の「序」以下全六十九篇、および自筆草稿が残されていた「手簡」以下「自由画検定委員」に至る十篇の詩篇を「『春と修羅』補遺」として収録した。

さらに、おそらくは大正十年から十一年にかけての冬の時期に、『春と修羅』収録詩篇に先行し、あるいは並行して試みられていたのではないかとみられる短唱群を、草稿内に登場する見出し「冬のスケッチ　四、」などに従って、「冬のスケッチ」として収録した。

『春と修羅』の題字は、作者の父政次郎の従弟である関徳弥の縁で歌人尾山篤二郎が揮毫したが、背のみに縦書きで「詩／集」と角書きして「春と修羅　宮澤賢治作」と書かれている（「澤」を使用）。箱のデザイン、文字は花巻の若い画家・製箱商の阿部芳太郎で、箱の平には当時としては珍しく左から右への横書きで「春と修羅／心象スケッチ／宮沢賢治」、背には縦書きで「春と修羅　宮沢賢治」と書かれている（「沢」を使用）。扉には「心象スツケチ（スケツチの誤植）／春と修羅／大正十一、二年」と印刷されている。本体背文字の角書き「詩／集」は作者の意向ではなく、世間一般では「詩」とするものと区別して、作者は「心象スケッチ」と称したのである。ちなみに、生前唯一の刊行童話集『注文の多い料理店』（本コレクション2に収録）の、作者自筆と見られる「広告ちらし（大）」でも収録作品を指して「心象スケッチ」と呼んでいる。

「序」六頁、以下「春と修羅」の章（十九篇）から、「真空溶媒」の章（二篇）、「小岩井農場」の章（全九パートのうち、五、六、八パートを除く六パート）、「グランド電柱」の章（二十篇）、「東岩手火山」の章（四篇）、「無声慟哭」の章（五篇）、「オホーツク挽歌」の章（五篇）、「風景とオルゴール」の章（十三篇）までの全八章（各章扉付き）、全三百一頁。本文は五号活字、表題は四号活字。目次（八頁）は巻頭ではなく巻末に配置され、末尾の奥付、そしてその裏の頁に正誤表が二段組で刷り込まれている。奥付によれば、大正十三年四月二十日発行、発行者　関根喜太郎、印刷者　吉田忠太郎。発売所として関根の住所で東京市京橋区南鞘町の関根書店が掲げられているが、実質的には自費出版であった。初版一千部だったという。印刷所は地元花巻の開業して間もない、書籍印刷の経験も不足していた小印刷所で、専門用語、欧文文字などの難しい活字も不足して、著者自身が盛岡の印刷所に調達に出向いたというが、やむなく妥協せざるをえない面があり、仕上りには種々の問題が残った。『春と修羅』収録以前に新聞や雑誌に発表された作品は、「陽ざしとかれくさ」、「青い槍の葉」、「東岩手火山」の三篇で、初期稿、断片稿などの草稿が残っているものは、「小岩井農場」の下書稿、清書後手入稿、再清書書きかけ断片などの一部、「風林」清書後手入稿、「オホーツク挽歌」詩集印刷用原稿書きかけ断片のみである。一方、『春と修羅』印刷のために清書して入稿した詩集印刷用原稿（「丸善特製　二」原稿用紙。25字×24行の六百字詰）が百五十一枚現存する。昭和二十年の花巻空襲による火災にあったが、土蔵内の焼け残った家財の下から発見された。ただし、詩集冒頭部分、「序」以下第一章「春と修羅」の冒頭八篇（「恋と病熱」まで）と「目次冒頭部原稿」（推定一枚）を欠いている。

詩集『春と修羅』の編成経過についても大きくいって四段階（細かくは七段階）が認められ、収録作品個々にも関わるが（目次も当初は巻頭に据えられていて、編成の過程で巻末に移動することになったとみられる）、ここで全てを取り上げる余裕はないので、詳細は『新校本　宮沢賢治全集』第二巻「校異篇」を参照頂きたい。しかし、詩集『春と修羅』の本文には作者自身も不備を感じていたことが確かであり、用字、表記、ルビなど、詩集印刷用原稿に残された文選・植字・校正の経緯や印刷用原稿本文自体との異同などを総合して本文を決定した。以下に、特記事項のあるものに限り、作品名を掲げて注記しておく。

有明　「菩提　薩婆訶」（32頁）の詩集本文の原ルビは「ボージコ　ソハカ」だが、「コ」は「ユ」の誤植。現在では「ボージ　ソワカ」と表記することが多いが、詩集印刷用原稿を参照し「ボージユ　ソワカ」とした。

谷　「歪」（33頁）のルビ「ゆが」は原ルビにないが、詩集印刷用原稿に従った。

習作　三行目（38頁）からの行頭横書きの詩句は北原白秋作詞・中山晋平作曲「恋の鳥」の歌詞を踏まえたもの。

おきなぐさ　「質直」（42頁）のルビ「しつじき」は原ルビ。

小岩井農場　パート三　鳥の鳴き声の表記「ぎゅつく」（76頁）の「つ」は、詩集印刷用原稿に従って、小書き「っ」ではなく「つ」とした。作者が意識的に選んだ表記である。

小岩井農場　パート四　「おなじ」（82頁）は詩集本文では「おなし」だが、詩集印刷用原稿に従った。

小岩井農場　パート七　「わたくし」（92頁）は、詩集本文は「わたし」だが詩集印刷用原稿によって校訂した。「ゆぐ知らない」（92頁）、「一時にならないも」（94頁）の小書き「ぃ」は詩集印刷用原稿に従った。「中《あだ》っても」（94頁）は詩集本文では「中つでも」だが詩集印刷用原稿に従った。

高原　「風吹げば」、「山だたぢゃぃ」、「鹿踊りだぢゃぃ」（112頁）は詩集印刷用原稿の「ぢゃぃ」に従った。

原体剣舞連　「首は刻まれ漬けられ」（119頁）の「漬」は、詩集本文にも詩集印刷用原稿にもルビは付されていない。一般的な読みとして「つ」を付したが、七五調の定型からは、あるいは『万葉集』などの語彙にある「みづ（ず）けられ」の読み方も可能かもしれない。

滝沢野　「ただずむ」（128頁）は詩集本文も詩集印刷用原稿もこの通りなので、そのママとした。

東岩手火山　（143頁）三行目の「ぢゃい」と六行目の「ぢゃぃ」は使い分けがある。この前後の小書きは、いずれも詩集印刷用原稿に従った。

永訣の朝　「くるしまなぁよに」（157頁）は、詩集印刷用原稿には「くるすまなぃよに」と書き、ついでローマ字で「Kurusumanā yoni」と直している。これを参照して小書きを用いて「なぁ」に校訂した。また、「聖い資糧」は、詩集本文にも詩集印刷用原稿にもルビは付されていない。「資糧」については、文語訳のキリスト教『聖書』に「かて」の読み仮名があり、そう読むことも考えられる（「昴」227頁の「旅の資糧」も同様）。

松の針　「ああいぃ」（159頁）の小書きの「ぃ」は詩集印刷用原稿に従った。

無声慟哭　「おかなぃふう」（160頁）は、詩集印刷用原稿では「おっかなぃふう」であった。これを参照して「おっかなぃ」とした。「ぢゃぃ」、「くさぇがべ?」（161頁）は詩集印刷用原稿に従った。

風林　「鳥の巣」（163頁）は、詩集本文は「烏」だが、詩集印刷用原稿に従った。「柳沢」（同頁）に詩集本文では「やなぎざわ」のルビが付されているが、詩集印刷用原稿にはルビは付されていない。誤植とみて、詩集印刷用原稿に従った。
青森挽歌　「すべての勢力」（177頁）の「勢力」に詩集印刷用原稿では「エネルギ」のルビが付されていた。「エネルギー」（190頁に使用例）と読ませる考えがあったかも知れない。
鈴谷平原　「鈴谷」（200頁）のルビ「すすや」はアイヌ語由来の地名。「風の三稜玻璃」（201頁）の「風の」は、詩集印刷用原稿でここに移動させる指定がされていたが、詩集本文に反映されなかったもの。詩集印刷用原稿に従った。
不貧慾戒　「オリザサティヴァ」（208頁）は詩集印刷用原稿での表記に従った。
風の偏倚　「暗黒山稜」（219頁）の「山稜」は詩集本文では「山陵」だが、誤植とみて詩集印刷用原稿に従った。
鎔岩流　「清冽な」（239頁）の「冽」は詩集本文では「洌」だが、詩集印刷用原稿に従った。

巻末に配置された「目次」にも興味深い謎がある。まず、詩篇表題、次いでリーダー（……）で上下を括って、括弧付きの西暦年、月、日が付されている。取材や制作に関わる日付と見られるが、その日付をくくる括弧に二重のものがある（全部で七篇）、また目次と本文の間に異同がある。目次の該当箇所に＊印を添えておいたが、目次の「叫び」は本文では「高原」、同じく「途上二篇」は該当するものがなく、「イーハトヴの氷霧」は「イーハトブの氷霧」であり、「冬と銀河鉄道」は「冬と銀河ステーション」である。「無声慟哭」の章の中間に作られた白紙の頁などを含めて、詩集編成過程上の齟齬によるものと、作者自身による意図的なものとが混ざり合った問題点といえよう。

「『春と修羅』補遺」に収録した十篇の作品は、いずれも草稿中に書き込まれた日付や、題材となっている事柄、あるいは草稿用紙の記載ノンブルなどによって、詩集『春と修羅』収録作品と時期を同じくすることが明瞭なものである。

手簡　清書後手入稿。四百字詰原稿用紙のおもてマス目にブルーブラックインクで清書され、書きながらあるいはその直後の同じインクによる手入れが行われているもの、二枚。

小岩井農場　第五綴　第六綴　清書後手入稿。四百字詰原稿用紙のおもてマス目に青インクで清書され、その後に筆記具をかえながら数度の手入れが行われた十枚のみが現存。『春と修羅』の「小岩井農場」に収録されなかった「パート五」「パート六」の内容をうかがわせるものだが、使用原稿用紙の種類からみて、詩集印刷用原稿以前の段階の一部分に相当するものである。

堅い瓔珞はまっすぐ下に垂れます　清書後手入稿。四百字詰原稿用紙二枚のおもてマス目にブルーブラックインクで清書され、書きながらあるいはその直後の同じインクによる手入れが行われているもの、二枚。おそらく冒頭数枚を欠く。草稿の冒頭第一行を仮題とした。

厨川停車場　清書稿。『春と修羅』詩集印刷用原稿に使用された「丸善特製　二」原稿用紙のおもてマス目にブルーブラックインクで清書したもの、二枚。詩集編成過程の早い段階の草稿とみられる。

青森挽歌　三　清書後手入稿。「丸善特製　二」原稿用紙のおもてマス目にブルーブラックインクで清書され、筆記具をかえた手入れが行われているもの、三枚。『春と修羅』に収録された「青森挽歌」の異稿の一部。「帽巾」（273頁）は難読だが、かぶり物の名称で「もんぱ」と読むことも考えられる。

津軽海峡　清書後手入稿。「丸善特製　二二」原稿用紙のおもてマス目に青っぽいブルーブラックインクで清書され、書きながらあるいはその直後の同じインクによる手入れの後、筆記具をかえた手入れが行われているもの、四枚。なお、以下に続く「駒ヶ岳」、「旭川」との三篇は用紙を連続させて使用している。

駒ヶ岳　清書後手入稿。「丸善特製　二二」原稿用紙のおもてマス目に青っぽいブルーブラックインクで清書され、筆記具をかえた手入れが行われているもの、二枚。ただし手入れは表題のみ。

旭川　清書後手入稿。「丸善特製　二二」原稿用紙のおもてマス目に青っぽいブルーブラックインクで清書され、筆記具をかえた手入れが行われているもの、二枚。ただし手入れは表題のみ。

宗谷挽歌　清書後手入稿。「丸善特製　二二」原稿用紙のおもてマス目に青っぽいブルーブラックインクで清書され、書きながらあるいはその直後の同じインクによる手入れの後、筆記具をかえた手入れが行われているもの、六枚。ただし、後になっての手入れは表題のみ。また、第五葉と第六葉の間は接続せず、原稿何枚かを欠く。

自由画検定委員　清書後手入稿。「丸善特製　二二」原稿用紙のおもてマス目にブルーブラックインクで清書され、書きながらあるいはその直後の同じインクによる手入れが行われているもの、二枚。ただし、作品の終行は用紙の末尾なので、この後に続く紙葉が失われた可能性もある。第一葉、第二葉ともに『春と修羅』詩集印刷用原稿と同様の字配りで書かれ、頁を示すノンブルが付されており、詩集に収録することを予定し、その後に外されたことをうかがわせる。なお、題材となった児童自由画展覧会は、東北六県及び北海道連合家禽共進会を機会に大正十二年十一月十一日から十五日まで花巻の花城小学校で開催されている（「岩手日報」十一月十一日付夕刊。絵画熱に雑草社の阿部芳太郎の貢献があることも言及されている）。

短唱「冬のスケッチ」の執筆時期は、冒頭に「大正十年から十一年にかけての冬」かと推定しておいたが、厳密に断定できるわけではない。しかし、題材や形式、使用原稿用紙などに「歌稿〔B〕」と重なるものがあることなどからの推定で、最初の整理は大正十二年の冬よりは早い頃ではなかろうか。第一形態は「10 20（広）イーグル印原稿紙」と「10 20（印）イーグル印原稿紙」計四十九枚のおもてマス目を用いて、ブルーブラックインクで清書されたもので、書きながらあるいは清書後まもない頃の同じインクによる手入れが行われている。その後に鉛筆の走り書きに近い手入れと、赤インクによる手入れがあるが、どちらもかなりのちになってのもので、赤インクの手入れは、文語詩への改作のための記入と見られる。このことから、本巻の本文は鉛筆や赤インクによる手入れ以前の最終形態を掲出している。本文に先立って注記しておいたように、内容その他から判断して明らかに連続する紙葉群が認められる一方で、どの紙葉とも接続しないものもあり、また個々に独立している作品も少なくない。文語使用も定型律も目につくが、口語自由詩も会話体も散文叙述体もあり、生気溢れるこの多様さは様々な認識と発話の始発点を思わせる。日本近代の詩表現の歴史においても、短歌や俳句その他の定型詩との結びつきや対決、中世歌謡、近世歌謡等の再発見や組み替えなどによって小曲や短唱の試みがなされた。そういった展望のもとでの理解と、作者の表現史の中での理解との双方がもとめられるかもしれない。

エッセイ・賢治を愉しむために

『春と修羅』の新たな謎

入沢康夫

口語自由詩形で綴られている『春と修羅』を繰り返し読んで、つくづく思うのは、そこに喚び起され、定着されている世界が、宇宙全体とじかにつながっていると感じられることである。そのあまりの生々しさに、いったいどのようにしてそれが言葉でもって可能になっているのかと、何度も何度も考えてしまう。

その説明としてよく目にするのは、「賢治は、野外に出るとき、いつも手帳（スケッチブックとも言われる）をたずさえていて、何かに触れて感興をおぼえたときには、その場ですぐそれに印象を書き留めるのを常としていた」という、友人や農学校の教え子たちのたくさんの証言があるので、そのスケッチを軸にして作品が構成されるという手法によって、現場の生々しさがそのまま保存されるのだという考え方である。賢治自身も、「前に私の自費で出した「春と修羅」も、亦それからあと只今まで書き付けてあるものも、これらはみんな到底詩ではありません。私がこれから、何とかして完成したいと思って居ります、或る心理学的な仕事の仕度に、（中略）機会のある度毎に、いろいろな条件の下で書き取って置く、ほんの粗硬な心象のスケッチでしかありません。」（大正十四年二月九日付森佐一あて書簡）と書いているが、これは単なる謙辞ではなく、《前例の無い新しい試み》という自負をもひそかに含意しているように読める。

賢治のいわゆる「心象スケッチ」の一つの特色として、その一篇一篇に日付が付されていて、その日付は、そこに描き出された情景や出来事から見て、作品の完成・脱稿の日を示すのではなく、どうやら発想・着手の日付らしい、というのがほぼ安定した一般的理解になっている。

日付に関しては、また次のような問題もある。大正十三年四月に出た『春と修羅』（いわゆる第一集）では、日付は本文の作品にではなく、巻末の「目次」で、個々の作品題名下に、括弧に入れて記されているのだが、六十九篇の本文作品のうち、その括弧が二重括弧になっているものが七篇あって、その使い分けの理由が、かなり以前から論議されてきた。

その七篇というのは、「春と修羅」「真空溶媒」「青い槍の葉」「原体剣舞連」「永訣の朝」「松の針」「無声慟哭」であるが、「春と修羅」には本文題脇に「(mental sketch modifide)」の傍題があり、「真空溶媒」では、それが「(Eine Phantasie im Morgen)」となっており、「青い槍の葉」では、上下逆に「(mentalskechmodified)」、「原体剣舞連」では「春と修羅」と同じである。傍題付きの場合、これらは単なる心象スケッチではないという作者の心づもりであろう。また妹トシの死の当日の日付をもつ三篇は、発想は当日としても着手は何日か後だったのだろう。この二重括弧の日付の意味づけは、一応こういった所でおさまっているようだ。

心象スケッチの各作品の日付については前述のように、発想日か着手日ということでずっと安定して理解されてきた。実際、そう考えて不具合を生ずるケースもほとんどなかった。ところが、近年になって、この一般的理解がゆるがされるような事例が、元小岩井農場展示資料館館長岡沢敏男氏の調査と考察でみつかったのである。以下、これについて書いて置こう（岡沢敏男『賢治歩行詩考』二〇〇五年、未知谷刊）。

『春と修羅』（第一集）には、「小岩井農場」という長い作品があり、その《日付》は、「（一九二二、五、二一）」となっている。この日は日曜日で、賢治は午前十一時少し前に橋場線小岩井駅でずいぶんすばやく汽車をおりて、小岩井農場と、そのさらに北東の柳沢を経て、東北本線滝沢駅をめざす、かなり長い散策に出発する。

しかし、農場を通り過ぎてさらに北に向かった辺りで雨が降りだし、予定を変更してもと来た道をとってかえす。

「小岩井農場」の「パート七」は、その《逆戻り》して、再び農場にさしかかったところを描いていて、出会した老農夫と、次のような会話を交わしている。

・・・・・・

（燕麦《オートま》播ぎすか）

（あんいま向《もご》でやってら）

・・・・・・

（こやし入れだのすか
　堆肥《たいひ》ど過燐酸《かりんさん》どすか）

（あんそうす）

（ずいぶん気持のいい処《どご》だもな）

（ふう）

・・・・・・

そしてその畑の向うには、
すこし猫背《ねこぜ》でせいの高い
くろい外套《がいとう》の男が
雨雲に銃《じゆう》を構《かま》えて立っている
あの男がどこか気がへんで
急に鉄砲《てつぽう》をこっちへ向けるのか

・・・・・・

この《銃を構えた黒外套の男》は、播いた種子を鳥に喰われないように威すために雇われた者で、役柄を「威銃」という。

ところで、この「パート七」で、賢治が書いている事柄について、岡沢氏は、館長在任当時に、資料館に保存されていた農場各持場の作業日誌その他を精査され、次のような貴重な成果を得られたのだった。

①「小岩井農場」の日付、五月二十一日には、その場所での作業は《玉蜀黍の種播き》であって、《燕麦の種播き》は、五月上旬に行われ、終了していた。

②《威銃》は、《玉蜀黍の種播き》の際には必要だが、《燕麦の種播き》には不必要で、行われない。

③　五月二十一日は、農場のどこにも雨が降った記録がない。
④　作中の天候（午後雨が降る）に合致するのは、五月七日（この日は《燕麦の種播き》が行われていた）であった。

以上の事実から言えるのは、おそらく賢治は、五月七日にも、ここに来ていて、《燕麦の種播き》を見聞しており（雨にも遭って）、その体験を、五月二十一日のこととして取り込んだのである。その際、《燕麦の種播き》には《威銃》はなされないことには気付かず、そのまま残してしまったというわけであるらしい。

この推測が正しいなら、賢治は二週間のへだたりのある二つの体験を、一篇の心象スケッチに取り込んだ（岡沢氏は、この二つを一つにする手法を、大正後半に映画の世界で話題になっていた《モンタージュ》と呼んでおられる）ことになるが、ここで最大の問題は、その日付が、あとの方の二十一日になっている点である。

これは、《心象スケッチの日付に関するこれまでの一般的理解（発想日・着手日）に反する事例がみつかった》ということであり、同様の事例は、そのつもりで精査すれば、まだいくつかみつかる可能性があるということでもある。

賢治の『春と修羅』は、あと数年で、上梓されてから百年目を迎えるわけだが、個々の作品の成り立ちの秘密については、この辺りで、これまでの通念を一度離れて、慎重に調べ直し考え直して見ることも、必要なのではあるまいか。

大正十三年刊の『春と修羅』に関しては、

おまえがあんなにねつに燃され
あせやいたみでもだえているとき
わたくしは日のてるとこでたのしくはたらいたり
ほかのひとのことをかんがえながら森をあるいていた

の詩行（「松の針」）からうかがえる「ほかのひと」とは誰か、といった伝記的な謎ものこされていて、こうした面での探究も、発展が期待される。

宮沢賢治《みやざわけんじ》コレクション6
春《はる》と修羅《しゅら》——詩《し》I

二〇一七年八月二十五日　初版第一刷発行
二〇二四年八月二十五日　初版第二刷発行

著　者　宮沢賢治《みやざわけんじ》
発行者　増田健史
発行所　株式会社　筑摩書房
東京都台東区蔵前二—五—三　郵便番号一一一—八七五五
電話番号　〇三—五六八七—二六〇一（代表）
印　刷　信毎書籍印刷　株式会社
製　本　牧製本印刷　株式会社

乱丁・落丁本の場合は送料小社負担でお取り替えいたします。

ISBN978-4-480-70626-3 C0392

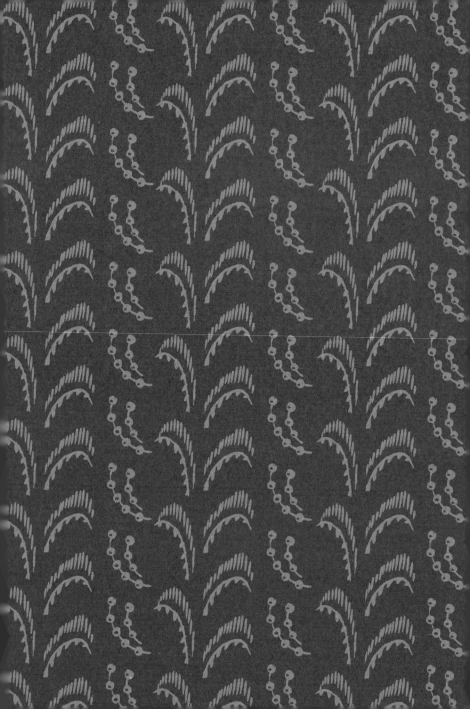